30歳で
150億稼いだ
私の思考法

Rob Moore

Know More, Make More, Give More:
Learn how to make more money
and transform your life

ロブ・ムーア 春川由香：訳

マガジンハウス

はじめに

あなたはゲームのルールを理解しているか？

本書を手に取ってくださって、ありがとう。
みなさんにお金について知っておいてほしいことのすべてを書き記したつもりだ。
われわれ自身が、最大の財産であり、利益の最大化《レバレッジ》をもたらす存在である。
本書を最後まで読みきるごくわずかな人だけが、
人生の最後に、大きな差をもたらすことは明白である。

平凡な家庭に育った私が、ミリオネアになるまで

子どものころ、なによりよく覚えているのは、父の大きな手に握られた、茶色いヨレヨレの10ポンド札がとても大きく見えたことだ。

4歳になると、父に働くこととお金を稼ぐことを教えられた。はじめての仕事は父が経営するパブでの酒ビンの補充だった。

週末になると、稼いだ1ポンド(約150円)を握りしめて——あのころはそれが1万ポンド(約150万円)にも思えたものだ——近所の1ポンドショップへ行き、額装された高級車の写真を買うのだ。

ランボルギーニ・カウンタック、シボレー・コルベット、フェラーリ・テスタロッサ、ポ

ルシェ911、昔のメルセデス・ベンツのガルウィングなどなど。そういった写真をひとつひとつ集めては寝室の壁に飾った。

大きくなるにつれて、金儲けをしたい気持ちも大きくなった。パブやホテルの経営者の息子である利点は、早くから自立心と商売心を養われることだ。小学校を卒業するころには、料理に掃除、洗濯、アイロンがけ、そして生活していく上で重要なスキル――妹との殴り合いのケンカもできるようになっていた。

10代の初めには、「アイロンがけをぼくに〝発注〟したいなら、大物は20（約30円）ペンス、ズボンや小物は10ペンス（約15円）で引き受けるよ」と母に取引を持ちかけた。

母はこれに応じ、私はふたつ目の仕事を開業した。それからはテレビで音楽番組を観ながらアイロンがけをした。運転免許を取ると、父のつかいでパブの買い出しへ行き、おつりをもらえるようになった。私はもらったお金はすべて貯めておいた。

時間を10年ほど進めて私が24歳のときの話をしよう。大学を卒業し、学生生活は大いに謳《おう》歌《か》したものの、貯めていたお金と両親が出してくれた生活費はすべて酒代に消えていた。

ある夏の午前中に友人と出歩いていて、フェラーリF430スパイダーが走りすぎるのを見たときのことだ。ドライバーはルーフを開け、澄ました顔でエンジンを高らかにうならせていた。フェラーリF430スパイダーは、今でも私の一番のあこがれだ。

優美な曲線、かすれた排気音、もちろん色は赤（ロッソ）。車が通りすぎる瞬間が、スローモーションで映り、羨望の感情がわき上がった。しかし、私は友人に向かってこう言ったのだった。

「いけすかないよな、きっとヤバい商売で儲けた金なんだろうな」

あの日私が発したひと言に、お金に対する私の態度と考え方が集約されている。無限の可能性を秘めた偏見のない子どもが、10代になるとお金の価値と稼ぎ方、大切さを教えられたのに、未来への希望を忘れ、いつのまにかネガティブなひがみ屋になっていた。

ムダづかいが増え、お金とうまくつき合うことができずに、持っているクレジットカードはどれも限度額をオーバーして利用停止、他人の中身を持ち物で判断するしまつだ。

フェラーリを運転していたのは見ず知らずの男性だったのに。

お金について「学校で習わない真実」

当時は気づいていなかったが、お金に対するメディアの間違った認識もあのひと言に要約できる。

お金持ちとその他大勢のあいだに広がる大きな溝も、あのひと言に要約される。

そしてこの奇妙な皮肉は、その後30代で億万長者のリストに名を連ねるまでになり、はじめてフェラーリを、まさしく赤（ロッソ）のＦ４３０スパイダーを購入したときまで続いた。

私をいい人間か悪い人間か決めつける前に、借金まみれの苦々しい日々を経て、ふたたび豊かさを手に入れるにいたった私の旅におつき合いいただきたい。

20代のころ、アーティストになりたかった私だがまったくパッとせず、借金まで抱えてしまった。その後、不動産投資会社を立ち上げてゼロから資金を築き上げてきた。

30歳になるころにはミリオネアの仲間入りをし、１億ポンド（約１５０億円）を稼ぎ出すことができるようになった。

まさに、裸一貫から始めたのだ。生まれ出たときはみんなそうなのだから、これは誰もが同じだ。先進国の人がお金に対して抱きがちな否定的な考えのあれこれを私はすべて持っていたし、イギリスやアメリカ、その他のチャンスにあふれた先進国で生まれ育った幸運な人間なら、誰もが直面する試練やチャンスとも向き合っている。

フェラーリに乗っていた男性が実際に何をしているのか知らないのに、彼のような人を知っているつもりでいた。

彼は、財産と夢とフェラーリをまっとうな仕事によって勝ち取ったのかもしれない。または本当に非合法な商売――たとえば詐欺師《さぎ》だったかもしれないし、フェラーリの試乗中だったかもしれない。1日かぎりのレンタルというのもありうる。彼は歯科医や、セラピスト、慈善家かもしれなかった。

(現在の)私のような顧客を乗せる前に車を走らせていた販売員かもしれない。だがすべてなんの関係もないことだ。

私が25年間持ち続けた、お金持ちに対するネガティブな考えはのちほどすべて披露する。

現在の私は「お金のメンター」として多くのクライアントを抱え、お金をかしこく増やし、豊かな人生を実現する方法を世界中で伝授して回っている。お金についてのセミナーを開催し、50万人を超える人々に出会った中で、私が見聞きした考え方も、すべて明らかにするつもりだ。

後述するが、クライアントとして多くの大富豪やセレブたちから、経済的な悩みを抱えた人たちまで数多く接してきたが、その両者（持つ者と持たざる者）の間には明らかな考え方と人生戦略の違いが見られる。おそらくその中にはあなたにも思い当たるフシがあるかもしれない。

私が「先進国の貧乏人」だったあいだは、フェラーリに乗っている人が実際にはどんな人かはわからなかった。知り合いにフェラーリを持っている人がいなかったからだ。今では大勢知っているし、私自身もそのひとりだ。

自分のニーズを満たすことと同時に、他者の役に立つことはできるし、単にお金と相思相愛になるのではなく、生涯続く幸せな関係をつくることができる。

本書ではありがちな自己啓発本と趣《おもむき》を異《こと》にし、自分のやりたいことで成功しながら、精神的、物質的豊かさを得るためのバランスの取れた方法を示していく。

この本はわれわれが暮らす世界を動かしている、お金にかかわる基本的な考え方と法則をまとめたものであり、それらをつかって一生利益を最大化していこう。

第2章 「お金のしくみ」を知っている人は強い

第3章 お金持ちの考え方、その他大勢の考え方

第4章

最後に笑うために、今できること

第5章 一生の自由を手に入れる「錬金術」

第6章 今こそゼロから始める「最強の人生戦略」

最後に

「幸せなお金持ち」への確実な道

第1章

99%の人が抱える「5つの大誤解」

大誤解1

お金では幸せになれない？

「お金では幸せになれない」

そんな言葉がまかりとおっている。

しかし、実際には、なれる。ミリオネアやビリオネアが、お金では幸せになれないと口にするのを私はこの10年で一度も聞いたことがないし、正確なデータを取るのに十分すぎるほど大勢の金持ちに会ってきた。

あまたのお金持ちから、「ロブ、頼むから、私の金をすべてどこかへやってくれ。金のせいで私はあまりにも不幸なんだ」と言われたことは一度もない。

多くの人たちが社会的にすり込まれた言葉を、現実と混同してしまっている。そもそもお金がなかったり、お金を見下したりしている人に、お金では幸せになれないと証明できるだろうか？　食べたこともないのに嫌いだとなぜ言えるのだろう？

ミシガン大学が行った調査では、お金に関して次の3つのことが判明した。

1　あなたが一番心配なことは？――お金

2　あなたを一番幸せにするものは？――お金

3　あなたを一番不幸せにするものは？――お金

もちろん、お金はそれが提供するものなしでは、人を幸せにすることはない。けれどもほかのすべての条件が同じであれば、**人にはお金を活用して幸せを増やす能力と、自分を幸せにする能力がある。**

私自身、お金がなかったことも（それどころか借金があったことも）、大金持ちだったこともあり、どちらがより大きな幸せをもたらすか断言できる。

「お金では幸せになれない」という議論は世界中で誤解されている。なぜなら、人は無償のもの（実際には有償なのだが）ではなく、単に幸せを追い求めるためにお金をつかうという思い込みがそこにあるからだ。

幸せの邪魔をする考え方

なるほど、人生で最良のものは無償だ。愛、子どもと過ごす時間、子どもの成長を見守ってすばらしい思い出をつくること。自然での体験、美、アート、音楽、寛容さ、健康で長生きすること。

お金だけでは買えないものはたくさんある。だが、それらを経験するには、自由な時間が必要だ。そのために資産からの受動的所得（passive income）が必要になる。

ローンと仕事のストレス、職場での週80時間労働の重みに耐えながら、人生で最良の瞬間を楽しもうというのはなかなか難しい。

お金と幸せは同じものではない。互いに独立した存在であり、よって次の組み合わせはどれも可能だ。

1　金持ちで不幸せ
2　貧乏で不幸せ

3　金持ちで幸せ
4　貧乏で幸せ

なぜお金と幸せのどちらかを選べ、という話になるのだろう。両方を手に入れればよいのでは？　と問われたら驚くだろうか。お金は幸せをつくりだす。

お金は幸せにつながることを、より頻繁に、より簡単に、実行する資金となるからだ。お金は、しばしば人生で最良と呼ばれる無償のものを、より多く与えてくれる手段だ。

もっと幸せになりたいなら、幸せと向き合おう。

もっとお金がほしいなら、お金と向き合おう。

お金をつくり、育て、与えることで自分をより幸せにするのはいいとして、幸せのためにお金だけを頼みの綱にすることはやめよう。

あとで話すが、これはこれまでの歴史の中でもっとも裕福な人々がやってきたことだ。それは意味のない支出ではない。支出により経済が生まれ、お金のスピードが上がるのだ。

大誤解2

「金持ちがより金持ちになる」説

「どうして金持ちはより金持ちになって、貧乏人はより貧乏になるんだ?」と多くの人が言う。そして多くの人がこれに不満を抱き、不平等をなくすよう求める。

金持ちがより金持ちになりがちな理由は、単純な経済法則で説明できる。金持ちはその法則を知っていて活用し、それ以外の人たちそれを知らずに法則に利用されてしまっている。

ニュートンの第一法則(慣性の法則)で言えばこうだ。

「外から力が働かないかぎり、静止している物体は静止し続け、動いている物体は同じ速度で同じ方向へ動き続ける」

つまり、金持ちがより金持ちになるのは「すでに彼らが金持ちだから」、貧乏人がより貧乏になるのは「すでに彼らが貧乏だから」——と、本書の著者は言いたいのか？

そんな単純な議論は聞き飽きた、と思われるかもしれない。

しかし、ちょっと待ってほしい、富とお金が自分のほうへ動いているのなら、たとえ求めるレベルにまだ達していなくても、歩みを止めないでほしいのだ。

「公平な経済」は実現可能か？

現代の、いかなる金融制度（かぎられた、しかし膨大な額の「お金」をつねに含む）においても、全支出はすべての収益と等しくなければならない。これはすべての出費は受け取るお金と等しいことを意味する。

人はお金を燃やしはしないし、仮に燃やしたとしても、そのお金は金融制度からは除外され、この社会に存在するお金は支出と収益のあいだで釣り合いが取れる。

このことから、流通しているかぎられた（しかし膨大な）額のお金は、いかなるときも、もっとも「つかう」者（支出）の手から、もっとも売るか受け取るかする者（収益）の手へ正確に渡ることになる。

あらゆる商品やサービスは同価値ではなく、お金の価値も人によって異なるため不均衡はつねに存在し、お金は収益よりも支出に価値を置く者の手から、支出よりも収益に価値を置く者の手へと、より大きな額が移動する。

言い換えれば、お金はそれをもっとも軽んじる者（つまり収益より支出に価値を置く者）から、蓄財、投資、複利によりお金を注ぎ込む者（つまり支出より収益に価値を置く者）へと渡るしくみになっている。

権力や法律、労働組合、規制もしくは政府に働きかけて、より平等な分配を試みても、「バランス」はつねにリセットされてきた。

富の流れを自分へ引き寄せたいなら、決して被害者意識におちいってはならない。権力や制度が金の流れを変えてくれるのを期待してはならない。少なくともわれわれが生きているあいだに資本主義体制が変わることはまずないだろうから、それに逆らうのは時間とエネルギー、そしてチャンスのムダづかいだ。

そうするよりも、お金やサービス、貢献、企業心、勢い（モメンタム）、複利、お金のスピード、スキル、そして法則を学ぶことだ。お金と富を大切にし、学べば学ぶほど多くを得ることができる。

「富の再分配」はどうだろう

持たざる者へ富を再分配すべきだとは、しばしばいわれることだ。これついて考えていく前に、富を再分配する方法は課税という形ですでに存在する。ほとんどの先進国では、所得が多いほど税率が上がる。ときには生活の多くの時間をつぎ込んで稼いだお金の半分、もしくはそれ以上を税金に取られることもある。

富の再分配論が抱える一番の問題は、富は分配された者のところにとどまらないし、彼らのためにならないことがあるからだ。もちろん、私は必要とする者と富を分かち合うのに反対しない。それどころか、お金持ちになって社会に貢献することは大きな役割を果たす。

とはいえ、すでに持っているお金の管理の仕方を学ぶまでは、さらにどこかからお金をもらう方法を探しても意味がない。再分配されるお金と同様に、「お金についての教育」が致命的に不足しているのだ。

とある金持ちが馬券売り場を運営しているとする。そこへあるギャンブル好きが訪れて、全財産をつかい果たし、さらに店が儲かる。そこで政府は税金をもっと増やし、お金をギャンブル好きへ再分配する。すると彼は馬券売り場へ舞い戻り、さらに賭けをやる。金持ちは「税金」が上がった分だけ、マージンを上げる必要が出てくる。これは賭けをやり続けるギャンブル好きの懐《ふところ》を直撃し、さらに金が出ていく。

なんの助けにもならずにこれがくり返され、変わることといったら、税率があまりに上がれば金持ちはほかの国へ移住することぐらいで、ギャンブル好きはますます依存症が悪化するばかりだ。

ビジネスオーナーが適正な利益を生み出すことが許され、支援や保護、税の優遇、それに起業のための助成金を与えられたら、公正な競争となって相場は自然とバランスが取れ、システムが機能するかもしれない。

いや、ちょっと待て。それは資本主義と呼ばれるものではないか。それに、ギャンブル好きには教育と依存症対策のほうが、馬券を買うことに金を出してやるより、はるかに効果が見込めるだろう。

これは極端な例に見えて反論があるかもしれないが、多くの人はこのギャンブル好きと同じで、手持ちのお金を漫然とつかって行き詰まってしまっている。

必要なのはお金のつかい方を学校や社会で教育することであり、やる気と貢献をそこなう再分配や、国からの施しではない。

宝くじのカラクリ

全米金融教育寄付基金は、ある日突然大金を手にした人のうち70％は数年以内に全額失うとする調査報告を出している。宝くじの当選者のうち44％は、当選後5年以内に全額つかい果たしている。

宝くじ当選者の10人に9人は、家族の新たな財産が3世代目にはなくなると考える。ここでも、お金の管理の仕方を学ぶまでは、新たにお金を得ても管理できないのがわかる。

興味深いことに、宝くじの当選後、それ以前より不幸せになったと答えたのは2％にすぎない。宝くじ当選者の大部分が手にしたお金をうまく管理できず、失うかそのうち失うと感じているのが前述のデータからわかるのに反してだ。これでもお金では（もっと）幸せになれないといえるだろうか？

このように、実際には富の大規模な再分配はすでに行われている。しかし、お金のあつかい方を知らずに大金を手にした人から、金持ちの手へと富が戻ってしまうようだ。

「お金の勢い」をスピードアップさせる

お金を持つ者は事業と経済を生み出し、ゼロからなにかを生み出し、お金の流れと速度、税への貢献度、希望、信念、他者への影響力、大勢へのサービスを増加させる。その他大勢はそれらに頼って生きていく。実質的に、現在、世界の富はすべて個人が所有している。トマ・ピケティの『21世紀の資本』(みすず書房)によると99%だ。これは貧しい消費者が消費する公的給付金の出所はすべて生産者であることを意味する。

また、「2割が全体の8割を生み出す」というかの有名なパレートの法則(296ページ)にしたがうと、ざっくり言えば、80%が消費するものを20%が生産していることになる。

これによりすでに向かっている方向へと勢いが増す——金持ちはより金持ちに、貧しい者はより貧しくなっているわけだ。いったん勢いがつくと、お金の速度を変えるのは難しい。起業した最初の数年はなかなか収益が上がらないが、何十年も続いている会社は富と受動的所得をずっと楽に得ているように見えるのはこのためだ。

そもそも富の再分配が機能するには、われわれ消費者が、消費する以上に、生産する責任を取らねばならないだろう。

麻薬常習者にお金を渡せば、そのほとんどがどこへ消えるかは察しがつくはずだ。お金を生む責任も知識もなしにお金を与えられても、消費者はそれまで同様に、ただダラダラと消費し、お金が貯まらないままだ。

生産者は、主にキャッシュフローや利益の増加、またはレバレッジド・ローンを通して（施しや補助金を通してということはまずない）お金を得ると、投資してさらに生産する。

もちろんこれを「強欲」と呼ぶのはたやすいが、「成長」「発展」「需要と供給」と呼ぶことだってできる。

「強欲」か「成長」か、呼称の違いは個人の見解でしかない。

さて、ここであなたに質問する。生産者と消費者、あなたはどちらを選ぶだろうか？　貧富の格差の議論に熱中するか、それともサービス、問題解決、規模拡大、そして社会への貢献に目を向け、富の分け前を受け取るか？

世の中には十分なお金がない

経済学者のマーヴィン・キングによると、世界経済にはおよそ80兆ポンド（約1京2000兆円）のお金がある。株式と債券を合わせたものが150兆から180兆ポンドのあいだで、金融商品と貸付金を加えて世界全体で200兆ポンド以上になると彼は推定している。

これまで8・2兆ドル（約820兆円）を超える金が産出されているといわれるが、金の採掘は有史以前から行われ、違法採掘のデータを追うことはできないため、この数字をさらに上回ると考えられる。

仮想通貨データサイト「コインマーケットキャップ」で仮想通貨の時価総額上位100をチェックすると、この本を書いている時点の3位は「イーサリアム」で時価総額300億ポンド（約4・5兆円）、2位は「オービッツ」で370億ポンド以上、そして1位は「ビットコイン」で380億ポンドに近い。

100位までの時価総額を合計してみたいところだが、もういいだろう。ポイントは明らかだ。そもそも世界経済にはほぼ無限のお金がある。これらを総計し、これらが流動的で人から人へ、そしてまた人へと流れて動き続け、インフレや量的緩和などの要素がお金の流通量を増やし続けることを考えればなおさらだ。

私たち全員がミリオネアになるのに十分すぎるお金が世界には存在する。

ここで非常に重大な疑問がわいてくる。誰があなたのお金を持っているのか？

99%の人たちの「よくある思考パターン」

あなたの思考パターン（マインドセット）を見直してみよう。

現実と豊かな見解にもとづいた、お金に対するマインドセットを持っているだろうか？　お金はどこにでもあり、事実上無制限だと思っているだろうか？

それとも、欠乏感にさいなまれた、いつもお金が足りないという考え方だろうか？　自分の懐具合は世の中の景気しだいだと考えるのか、それとも経済状況にかかわらず、財産は自分自身にかかっていると考えるのか？

お金は人がつくった機械によって印刷され、人によってつかわれる。現在、過去、未来において、すべての形あるお金はアイデアという無形のものから生まれる。精神の物質化とも呼べるだろう。

これから世に出る製品、サービス、アイデアは無限にあり、それはこれから私たちが手にする富とお金も無限にあることを意味する。

問題はあなたにそれをつかむ気があるかどうかだ。

大誤解4

お金を稼ぐのはムリだ

稼ぐ気さえあるのなら、誰にだってできる。

仮に、「努力は天才にかなわない」というのがあなたの信条だとして（私はまったくそう思わないが）、人間ひとりがどれだけ努力しても無理だ、と考えているとしよう。

もちろん、100メートルを10秒で走ることなどは、人間の遺伝子と天与の才のなせる技だろう。ところが、お金づくりに関してはいい知らせがある。

誰にでもできるのだ。身長が高くても低くてもいいし、マッチョでも細くても、頭の回転が速くても遅くてもかまわない。人並み外れた才能もなく、なんとも地味な趣味や道楽、仕事で生計を立て、財すら成している人は必ずいるものだ。

お金は経験から学べるシステムだ。それにはやり方があり（あとでもっと説明する）、つまり、先人に学ぶことができ、彼らの特徴をまねてそれを自分のものにできることを意味している。

複雑すぎる時代の中で

21世紀に育ったティーンエイジャーを想像してみよう。

どこからでもＷｉＦｉにつながり、家にあるコンピューター、ラップトップ、もしくはｉＰａｄから親の「ｅＢａｙ」アカウントにログインして、親の持ち物を手数料なしで出品・売却し、代金を自分の「ペイパル」アカウントへ振り込ませ、そこから自分の銀行口座へと移し、あとはお金をつかうことも、貯めることも、または証券会社が提供するアプリで投資することもできる。

クラウドファンディングサービスを提供する「キックスターター」でなら、株主資本なしで資金の調達が可能だ。実際、５分もあれば無料のウェブ・ホスティング・アカウントに登録し、どんなビジネスでもオンラインではじめられる。オフィスも賃貸契約も必要ない。

株式はなく資本金を失う心配もない。従業員の管理も賃金の支払いも人事もなし。

あとは無料のソーシャルメディア・アカウントを「リンクトイン」「ユーチューブ」「イン

スタグラム」「フェイスブック」「ツイッター」「ワッツアップ」「ピンタレスト」で取得したら、iPhoneで動画を撮影し、数千、数百万もの顧客と一瞬のうちにつながることができる。世界中どこからでも、1年365日、1日24時間、すべて実行できるのだ。

だったらなぜ、こんなにも多くの人がお金を稼ぐのに苦労しているのだろうか？　なぜお金の心配をしながら生き、お金にまつわる罪悪感やねたみを抱き、やりたいことをするお金にこと欠いているのだろう。

小学生のころ、私はしょっちゅう体操着を忘れ、パンツ1枚で体育の授業を受けた。準備運動で前屈をすればつま先にも届かず、ひざに触れるのがやっとだった。体育の教師は私のそばでこう怒鳴ったものだ。「もういい、どうせおまえはつま先には届かん！」

情けないたとえ話だが、ポイントはこうだ――このとき、自分はなにもすることができないと、他者によって思い込まされてしまった。

「そうか、ぼくは生まれつき体が硬いのだ、だから仕方がない」と自分に言い訳した。だが、誰がそう言った？　それはDNA上の事実なのか？　当時の私はずいぶん太っていたから、体型のせいにもしたと思う。そうして言い訳を重ねて自分を納得させていた。

大人になってはじめて武道の教室に参加したときも、自分は体が硬いと信じていた。しかし、インストラクターは「1日2回ストレッチをすれば、1年ほどで股割りができるようになりますよ」と言う。

私は真に受けなかったが、黒帯を取るよりも先に、本当に股割りができるようになっていた。ちなみに黒帯取得もおまえにはできないと人に言われたが、本気で取り組んだ結果、達成できた。これはお金にも当てはまる真実だ。

何度も申し上げるが、人はお金をつくれないのではない。まだお金のつくり方を知らないだけだ。これはおおむね自分のせいではない。知らないということを、わかっていないのだから。

これは今後、ただちに変えることができる。お金をつくってきた人々は、お金を大事にし、研究し、人のために役立ち、問題を解決し、お金のルールと法則に従ってきた。

「行動を起こすのは簡単だ、行動を起こさないのも簡単だ」

「世界一のお金のメンター」と称されたジム・ローンの言葉である。

これは重要な金言だ。ピザにするかサラダにするかを決めるように、お金を貯めるのも、つかうのも簡単だ。お金を愛してお金を儲けるのは、なんとか暮らしていくためだけに必死で働くのと同じくらい簡単なのだ。

もちろんどんなことでも成功するには、最初は必死で働く必要がある。なにをするのであれ、犠牲はともなう。

生まれ育った社会や環境が、自分にはできない、もしくは困難だと信じ込ませ、根拠のない社会通念が今の自分の現実になってしまっていないだろうか。

投資家ジョージ・ソロスは1992年9月16日の1日で、10億ドル（約1000億円）を稼ぎ出した。

フェイスブックの最高経営責任者（CEO）マーク・ザッカーバーグは110億ドル（約1兆1000億円）を稼いでいるが、どちらのDNAにも「ビリオネア」の染色体など存在しない。

また、世の中には寄付するためだけに稼ぐ人もいる。彼らはお金を稼いだそばからほかの人たちに与える。

大誤解5

「権力とお金」は悪いものだ

「貪欲さ」と「権力」は絶対的なものではない。

世界金融危機直前の好況時には、銀行家を「強欲」と見なす者もいただろうが、銀行家はそうは思っていないかもしれない。

貧しい人は、大金を持つ者を「強欲」だと思うかもしれないが、大金持ちが慈善事業にどれほど寄付しているかを知らない場合もある。ある押しつけがましい営業マンを貪欲と見なす者もいれば、セールスは愛だという者もいる。

どんな人も貪欲になりうる可能性がある。他者を見て、嫌だなあと思う特性は、自分にも必ずある。自分の大切なものが批判にさらされたり、信じていることのために立ち上がったりしたときには、自分のなかにも激しい貪欲さがあることに気づくはずだ。

誰もがしっかり自己を持ち、そして人としての個人を尊重しながら、人類全体のために役立っている。人間は貪欲さと優しさ、力ともろさ、愛と憎悪——相反する要素を持ち、自分とまわりの人のためなら、両極端の特性をつかい分けているのだ。

「成長」のために絶対不可欠なこと

貪欲さと成長ははっきり線引きできるものだろうか？

やる気は、どこからタチの悪い強欲に変わるのだろう？

意欲があるからこそ成長できるのであり、つねにこの2つは微妙なバランスの上に存在する。熱い思いがあるからこそ、きっかけをつくることができ、やる気を出し、行動を起こして大きな報酬を得ることができるのではないか。

一方で、前のめりになりすぎ、成長が行きすぎたときも、やはりそうだとわかる。

罪悪感、不安、羞恥心など、ネガティブな感情が自分の心へ跳ね返ってくる。

あるいは社会的な視線にさらされ、非難されるかもしれない。もちろん、他人が言うことはただのこじつけで、愚にもつかない勝手な意見のこともあれば、バランスを取るのに有用なフィードバックになることもある。

不思議なことに、人生というのは与える者にさらに与え、奪う者からは大切なものを奪っていく。成長が正しい方向に進んでいれば、人生はあなたにより多くを与えてくれるが、行き過ぎた貪欲さを剥《む》き出しにすれば、人生はあなたから容赦なく大切なものを奪っていく。

銀行に「つかわれる」のではなく、「上手につかう」

社会とメディアは投資家たちを糾弾するのが大好きだ。「銀行はみな金の亡者だ」「投資家は諸悪の根源だ。銀行と銀行家が2007年からの世界不況と金融危機を引き起こしたのだから」

では、この手の集団的思い込みの少し先を見て、「銀行がない世界」を想像してみよう。

お金を自分で貯めて守る必要がある

銀行は効率的にお金を預かり、蓄え、保管する。あらゆる通貨を、紛失や窃盗から守ってくれる。もちろん、自分の浪費グセからも！

もし自宅のタンス預金が当たり前となれば、金庫と強盗阻止のための厳重なセキュリティが必要になる。そしてお金に保険をかける必要もある。これに万が一インフレが加われば、お金を家のタンスにしまっておくだけで年に10%から15%目減りする恐れがある。

2　利子がつかない

自分で自分に利子を払うことはできない。自分で銀行をつくれば別だが！

多くの人が少なすぎる利率に不満を漏らすが、銀行がなくなればそれどころではなくなるだろう。誰が利子を払うのだろう？　自分のお金から利子は払えない。

3　貸金業者や高利貸からお金を借りなければならない

銀行がなければ、まとまったお金が必要なとき、どうやってお金を借りればいいだろう？

ここで真っ先に銀行の代わりをするのは、高金利でお金を貸す貸金業者だろう。

銀行制度の登場前にはこうして貸し借りが行われていた。そしてたいていトラブルと隣り合わせだ。

すべての貸金業者を「高利貸」と呼ぶことはできないが、高金利、高ペナルティで貸しつけする、つなぎ資金の融資業者、ベンチャー投資家、個人投資家、クラウドファンディング投資者はたくさんいる。

銀行は大勢の預金者から「融資」された巨大な資金プールをつかい、個人の貸金業者では絶対に手にできない大きなレバレッジ——つまり「テコの力」をつかう。

個人の貸金業者や高利貸は自分が持っている資金をつかうため、銀行ほどたくさんの人に融資することも、大口融資をすることもできず、スケールメリットがない。

さらに融資の焦げつきリスク、そして規模の小ささの埋め合わせに、高い利子を課す必要があるのだ。給料日払いや週払いで、利率は年利5%から200万%まで好きに設定できる。

個人の貸金業者には、小切手、デビットカード、クレジットカード、電信送金を扱える規模も、システムも、ネットワークもない。高利貸は正規の登録を受けておらず、しばしば法律を無視した貸しつけを行う。借金を滞納されても裁判を起こす能力や経済力がないため、違法な強制的取り立てに訴える。

一方で、銀行は預かった膨大な額のお金を活用し、さまざまな金融サービス、保証、そして流動性を提供できる。政府の認可、支援、規制を受けているので、リーマン・ショックのような非常時には、政府や中央銀行が「最後の貸し手」となることさえある。

4　規制と保護が、より難しくなる

高利貸はたいてい政府ににらまれていて、貸付金の回収や保護に政府の力を借りることはできない。

資金の大きさ、銀行システムのコントロール、そしてネットワークをつかって、個人の財産を守り、信用を保つことは資本制度全体にとって必要不可欠だ。

だから、国によってしっかり管理され、信用に値するというイメージを、銀行はことさら大切にする。信用不安から払い戻しが殺到する、取りつけ騒ぎが起きれば、銀行の業務は破《は》綻《たん》する。そのため銀行はおしなべて「安心・堅実」第一、保守的になりがちだ。

その結果、銀行が預金者のお金を失う極端な事例は、歴史を通してごくまれにしか発生していない。

5　経済成長が鈍化する

銀行は、預かっているお金はほんの一部だけを手もとに置いておけばいいことに、ずいぶん昔から気がついていた。

預金の一部を貸し出し、あらゆるお金の動きにかかる取引費用を大幅削減することができるしくみになっている。部分準備銀行制度（訳注：銀行が預金として受け入れた資金の一部のみを保有し、残りを投融資にあてる制度）、そしてお金の動きのデジタル化により、銀行は超低コストかつ超迅速に、保有している以上を貸し出せるようになった。

経済に流れるお金を増やし、お金の流通速度を上げたため、経済は飛躍的に成長可能となった。融資と付加的サービスから利幅を得て巨大化し、いち国家のGDP並みの資金を保有している銀行もある。

銀行は世界不況の要因にもなりうるが、あらゆる世界経済の好況期と成長期で、より大きな役割を担っているのも確かだ。

銀行が、預金100円ごとに1000円貸し出しするとして、それが私たちの経済にもたらす影響を考えてみるといい。

6　景気後退時に支援を受けられない

銀行や中央銀行、政府が不況や恐慌の際にやったことを批判するのは簡単だ。

しかし、彼らが提供する保護や保険、安全についてはどうだろう？　低金利の長期継続、量的緩和、そして「最後の貸し手」として中央銀行の貸しつけがなかったら、もっと大勢が破産して、不況はより長期化・深刻化していただろう。

7 コストが高くなり、お金の動きは鈍化する

政府と中央銀行、裁判所の規制と介入による保護がなければ、貸金業は悪徳業者の巣窟《そうくつ》になるだろう。リスクの増加と規模の欠如のせいで、コストと利子とペナルティははるかに高くなる。おそらくは命を落とす人も増加する！

この世界を動かす人々に学べ

権力をふるい、変化を生み出す人といえば、大統領や首相、政治家、政策立案者を思い浮かべるのではないだろうか？　それとも大企業や中央銀行だろうか？

しかし、新しい社会資本主義者や慈善起業家が、多大な影響力と世界規模のリーダーシップを手にしているようだ。

「フェイスブック」のマーク・ザッカーバーグ、「テスラ」「スペースX」のCEOイーロン・マスク、「ヴァージン・グループ」の会長リチャード・ブランソンは、極悪企業のモンスターだろうか。

「フェイスブック」のCOOシェリル・サンドバーグやビル・ゲイツの妻メリンダ・ゲイツ

はどうだろう。彼らはお金を稼ぎ、社会を変えている。
何千万人ものファンとフォロワーに語りかけ、ポジティブな変化をもたらし、大勢の人々の役に立つために、自分の影響力をつかっている。

スーツを着た貪欲な銀行家という紋切り型のイメージは。古臭い思い込みだ。未来のチェンジメイカーたちは、既存の殻や壁を破り、世界を結びつけ、意義のある課題を解決している。

もちろん、お金の用途は選ばなくてはならない。ならばお金を儲け、この項であげたチェンジメイカーたちをお手本にしながら、あなたが行動を起こしてはどうか。

『フォーブス』誌の「もっとも寄付額が多い慈善家トップ50」を見ると、上位20人の慈善活動や事業への寄付額を合わせただけで、1000億ドル（約1兆1000億円）以上になる。

彼らは全員がビリオネアだ。金持ちであればあるほど、多くを寄付できると考えるのが道理のはずなのに、なぜ多くの人はそう考えずに金持ちは押しなべて強欲だと決めつけるのか？　お金の観点からいえば、世界の金持ちたちの多くはもっとも与え、もっとも生産し、もっともGDPを押しあげ、もっとも貢献している。

「お金を儲けること」と「多くを与えること」はセットだ。これ以上の選択肢はない。

お金がないのは誰のせいか

私はこれまで富とお金に関する戦略を、40万人以上とともに共有してきたが、「自分が儲ければ誰かが犠牲になる」と考える人の多いこと！　つまり、「お金持ちがいるせいで、その他大勢はお金を持つことができない」というのだ。

この問題を掘り下げてみよう。

この世にあるお金はどんどん減り続けていて、人はだまされたと感じながらしぶしぶお金を手放している。人から人へお金が渡るのは「勝ち負けの構造」である、と考える人がなぜか多い。

これらはどれも根拠のない、個人の思い込みだ。

しかし思い込みであっても、それがその人にとっての現実になってしまう。

手から手へとお金が移るとき、搾取《さくしゅ》され、なにかを失うと考えているかぎり、誰かにモノやサービスを売ることなどできない。無意識のうちに、自分が詐欺師やドロボウにならないよう、必死で抵抗してしまうのだ。

「勝ち負けの構造」から抜け出す

人から人へとお金が動くとき、そこには常に交換が存在する。

それは単なるお金の交換だけではなく、アイデア、エネルギー、インスピレーション、サービス、問題解決策、期待、情報、知識、知恵、時間、恩義、信用、善意の交換でもある。まだまだ列挙できるが、私の言わんとするところはおわかりいただけるだろう。

お金を支払った人は、先にあげたものの中からひとつを十分に得られれば、その交換は公正で、よい価値を得たと感じることができる。

お金を支払ってもその金額より得るものが少なければ、公正な交換ではないと感じ、極端な場合には、ぼったくられたと思うだろう。つまりお金の交換ではなく、お金とは「別のなにか」の交換が、価値のある／なしを生み出すのだ。より価値を与えることで、より多くを稼ぐことができる。

お金は渡す人が「失い」、もらう人が「勝ち取る」ものではない。

交換では、お金とは違うモノがつくり出され、交換される。お金は決して失われない。お金は消えない。お金はただ動くだけだ。

無形から有形に、アイデアから行動に、物質から精神に、そして心からモノに姿を変えるだけなのである。

第2章

「お金のしくみ」を知っている人は強い

お金の「目的」と「性質」を学ぶ

お金儲けに成功した人たちは、自身の、または誰かの、偏った信念をお金に押しつけることがない。偏見や行動のさまたげになる感情を解消し、「お金の本質」を見ることができているからだ。

みなさんも、お金が持つ本質を見きわめ、それを有効につかう人々のパターンを覚えておいてほしい。

時間の経過とともに価値が下がる

世界的な流れとして、インフレ傾向により、お金は時間とともに相対的に価値が下がっていくものだ。

インフレとは物価の平均的、総体的な上昇と、お金の価値の下落のことである。

「今日のお金は明日のお金より価値がある」——これは**「お金の時間的価値」**として知られる法則だ。貴金属が通貨としてつかわれ、再鋳造されていたころからいわれていたことである。

その他のインフレ要因としては、別通貨、もしくは新たな通貨の導入（ビットコインのような電子通貨）、金利の低下による融資、消費、マネーサプライ（お金の供給）の促進、物品の質または量の減少（マネーサプライは一定として）などがあるが、物価やマネーサプライの上昇を引き起こすものは、概してインフレの原因となる。

お金のインフレには、とどのつまり、暮らしにおける進歩と進化の目的が反映されている。

人は成長を求め、サービスの価格や質をつねに上昇させる生き物だからだ。

人々が「もっとお金を、もっと物品を」と求めて、それが供給されればされるほど、相対価格が下がっていく。当然だ。市場にあふれるほど多くあるものには、高い値段はつかないのだから。

また、人口が増えると、お金を分け与えられる人が増えるため、インフレを引き起こす。

つまり、これを読んでいるみなさんも、価値を上げ続けるべきだということなのだ。

「今日の自分は明日の自分より価値がある」

だからこそ、つねに、明日の自分のために価値を向上させていくべきだろう。この事実を受け入れずになにも手を打たなければ、自分の価値が下がってしまうということだ。

お金は「理解し、大切にする者」へ集まる

お金のつかい方を誤るのは、つねにお金ではなく「人」だ。

宝くじが今日当たったと想像してほしい。お金を理解せず、大切にしない人は、何につかうか、どうつかうか、どこでつかうかを語るだろう。

彼らの口から、自分の教育への投資、リターンを得るための投資、お金の守り方、保険、賞金を元手にした起業などという話が出ることはない。

お金を大切にするなら、一時的な浪費にはつかわないはずだ。**お金を理解しているなら、**

消耗品やいずれ価値が下がるものを買ったりしないのだ。

一方で、お金と富を大切にし、理解している人に同じ質問をすると、まず十中八九**「宝くじは買わない」**と言われるだろう。

奇跡のような1等当選確率に頼らずとも、彼らにはお金を稼ぐ能力があるからだ。

では、代わりに何をするのだろう。

たとえば、新しい投資や、長期的に持続可能な複利を生み出す方法、受動的所得を生み出す資産への投資、資産を築く方法、獲得したお金を守る方法、専門の会計士と税務顧問を雇ってお金のマネジメントチームをつくる——などと言うだろう。

もし宝くじに当たったとしても、賞金を資産に変え、さらにそのお金が生み出す収入を考えるのだ。

「お金は平等には分配されない」というが、単にお金は、それを大切にも理解もしない人から、お金を大切にして理解する人へと動く傾向があるだけだ。

そしてお金を上手に管理する人のもとには留まり、管理が下手だったり、お金に敬意を払わなかったりする人のもとからは離れてしまう傾向がある。

お金は「80対20の法則」にしたがって偏在する

お金を大切にしない人は収益よりも相対的な支出が多く、お金を大切にする人は支出よりも相対的な収益が多い。

お金は、知識と理解がある少数の者へ大量に流れる傾向がある。ごく少数がずば抜けて裕福なスーパーリッチになる「80対20の法則」があるのはこのためだ。

２０１４年の連邦調査によると、アメリカでは上位３％の富裕層が国家の総資産の54・4％を握っている。上位３％が、下位90％の家計資産合計の倍以上を保有しているわけだ。

なぜ多くの人がこの数字に驚くのだろうか？

なぜ多くの人がこれを不公平だと思うのか？　これはお金の性質だ。その54・4％の国の富はどこから来るだろう？

「お金持ち以外の」97％からだ。これは盗まれたわけでも、政府に没収されたわけでもない（ほとんどの場合は）。消費したから減るのだ！　彼らは文字どおり、お金を金持ちにくれてやっている。これでは不公平だと文句を言っても遅いのだ。

「ハードワーク＝お金」ではない

くり返しになるが、お金の流れは、買い手と売り手のあいだでの、アイデア、商取引、貸しつけ、サービスと価値、問題と解決策という形のエネルギーの交換だ。

お金を通してこういった無形のエネルギーが流れなければ、お金は形として存在し続けず、継続的な交換というお金の目的を果たさない。

アイデアと決断があるからこそ、お金をもっと刷ろうという力になる。

また、「時間をかけること」や「一生懸命働くこと＝ハードワーク」は、お金と無関係だ。一生懸命働くから、お金が稼げるのではない。関係があるのは価値とサービスだ。

人は安心と幸せを求め、それらを買うためにお金をつかう。人はお金を介して、自分たちの暮らしをよりよくする製品、サービス、情報を手に入れたいと思うものだからだ。

みんなが欲しいのは一番時間がかかった、もしくはもっとも苦労した、製品、サービス、情報ではない――ということを覚えておいてほしい。

経済の「成長サイクル」を知る

英語で「通貨」は、「カレンシー　currency」というが、これは「走る、元気、熱心、敏速」を意味する古フランス語の「コラント　corant（「走る」を意味する動詞 courir の現在分詞）」と、「走る、元気、熱心、敏速、すばやく動く」を意味するラテン語の「クレール　currere（主語が人、もの）」から来ている。

言葉の由来どおり、経済はお金がつねに動いている場合にのみ機能する。

みんながいっせいに現金をタンスの中に隠したら、流通量が減り、お金の流れとスピードは減少する。これは「倹約のパラドックス」として知られていることだ。

貯蓄をするのはかしこいことではあるけれど、誰もが貯蓄に走るとお金の流れがストップしてしまう。「倹約のパラドックス」は、名高い経済学者ジョン・メイナード・ケインズによって広められた言葉だ。

景気が後退すると個人は倹約しようとし、これは全体の需要の減少と経済成長の悪化を必ずもたらす。

しかし、**経済が成長するには、お金が流れる必要がある。**不景気のときに中央銀行がしばしばお金を増刷するのはこのためで、お金の流れに弾みをつけるのだ。

「倹約のパラドックス」は不安が広がっているときやデフレ時に起きうる。

自分を起点にして流れをつくる

昔、私のお金のメンターのひとりがこう教えてくれたことがある。

「チップは弾みなさい、ただし食後にではなく、レストランに入ってすぐに」

この教えには抵抗があった。だって、まだなにもされていないのに？

先に満足のいくサービスを受けてから、チップの額を決めるのが妥当では？

しかし、この考えは私のお金への理解の浅さからきたものだ。

教えを守って、しぶしぶ態度を変えてみた私は、思ってもみなかった恩恵がやってくることに驚いた。よりよいサービスを提供され、予想外の紹介を受け、感謝されるという、さらなるエネルギーの連鎖が生まれた。

最初は半信半疑だったが、これはお金の性質で、自分のほうへ流れを加速させる唯一の方法だ。私のメンターは私の頭の中の抵抗感を感じ取り、それを取り除くことで、お金の循環をつくりだした。

もちろん、財布のひもを絞ることは家計を解決する方法のひとつだ。なにも、むやみやたらにお金をばらまくことはないが、倹約は金持ちになる7つのステップのひとつでしかない（186ページで後述する）。

お金がわき出るスペースをつくれ

古代ギリシアの哲学者アリストテレスによれば、「自然は真空を嫌う」という。

アリストテレスは観察にもとづき、「自然はあらゆる空間をなにかで満たそうとし、そのなにかは無色・無臭の空気でさえあったりする」と考えた。

空っぽの空間は、より密度の高いまわりの物質にすぐに満たされるため、自然に真空は存在しない。真空は無であり、無は「存在する」とはいえない。

それはお金についても同じだ。お金は自然の法則にしたがう。お金はひとつの場所から次の場所へと絶えず流れ、満たすのだ。

この自然の法則を活用しよう。

アイデア、サービス、問題の解決策、製品、販売――こういったもののすべてを媒介し、お金は流れ、循環し続ける。われわれはもっと多くの水門を開ければいいだけだ。

新しい服が欲しければ、なんらかの形で古い服を処分するのだ。モノであふれていては、満たそうにも空間がない。これは**「真空の法則」**という、よく知られている法則だ。

欲しいものがあるなら、まずはそれを受け入れるスペースを空けること――この法則はすべての形あるモノに当てはまるが、心の中も同じことである。

しぶしぶ請求書を支払っている人は心の中を〝不満〟で満たしてしまう。だから、お金を受け取るときだけでなく、支払うときにも感謝の気持ちを持ち、心の中をすっきりさせよう。

モノも感情も、よりすばらしいものを受け入れるために、まずは必要のないものを手放すのだ。

ネガティブな感情は、ポジティブな感情が入ってくることをブロックしてしまう。

低い給料は高い給料をブロックしてしまう。

不平不満は感謝の気持ちをブロックしてしまう。
水でいっぱいのバケツにさらに水を入れることはできないように——。

お金はスピードを愛する

ここまでで見てきたとおり、人を裕福にするのは、その人が蓄えているものだけではない。その人が生み出す流れが裕福にするのだ。

大金持ちは富を保つだけではなく、自分とまわりの人々を通してお金の流れを加速させる。「貯蓄」と見なされるものをよく見ると、蓄えられているわけではないのがわかる。「貯蓄」は加速しながらつねに出入りしている。たとえば100万ポンド（約1億5000万円）の貯蓄は、口座にじっと眠っているお金ではなく、何度も出し入れをくり返して、出るより入るお金をどんどん増やし、時間をかけて積みあげられた金額である可能性のほうが高いだろう。100万ポンドの貯蓄は、1億ポンド（約150億円）のお金の流れから生み出されたものかもしれない。

お金はあなたを通してやってくる

お金は人間を反映し、人間のためにつかわれる――すべてのお金はモノからではなく、人からやってくる。

もっと正確に言うと、ボブ・プロクター（世界的に著名な自己啓発書作家）の、「お金は人からは来ない、人を通してやってくるのだ」という言葉が正しい。

どういうことだろうか。

月給をもらっているビジネスパーソンがいるとする。毎月銀行に振り込まれる口座の明細を見ると、お金は銀行からあなたに与えられたかのように見えるだろう。

実際には、お金は会社の経理部門から振り込まれる。経理部門へは、会社を通して実際にお金を監督している専務取締役、ＣＥＯまたは会社のオーナーの認可を得てやってくる。

しかし、そもそものお金は顧客や取引先がもたらしたものだ。

そのお金は彼らの家族や上司、配偶者、または融資から来ており、つまりは人からではなく、あくまで多くの人を介してあなたの手元に届くわけだ。

「人からではなく人を通して」という考えには「6次のへだたり」の話をしておこう。

「6次のへだたり」という不思議なネットワーク

6次のへだたりとは、知り合いの知り合いを6人たどっていけば地球上の誰とでもつながれるという仮説だ。

たとえば、映画界にいるある人の知り合いは、別の誰かの知り合いで、その人はまた別の誰かの知り合いで、さらにその人は……とやっていくと、必ず6人以内に俳優のケヴィン・ベーコンにたどりつくという法則性だ。このため「ケヴィン・ベーコンとの6次のへだたり」という通名で知られる。

この理論の検証の一環として1960年代に行われた有名な実験では、世界中から無作為に選び出された40人に小包が1個ずつ渡された。

彼らはボストン在住のマーク・ヴィダルという科学者へ、ごく親しい人を通して小包を渡すよう依頼された。3つの小包がヴィダル氏のもとへ届き、平均して6人の手を経ていた。

このときより、現代はさらに社会的ネットワークが進んでいる。

「マイクロソフト」が自社のインスタントメッセンジャー・ネットワークを検証。1億8000万人のあいだでやりとりされたネット上の会話300億件を調べたところによると、人と人とのあいだには平均6・6次のへだたりがあることが明らかになった。

なお、フェイスブックの調査では、ソーシャルネットワークでは、「世界中の誰とでも」平均3・5人以内につながっているという。

インターネットによって、事実上、世界はどんどん小さくなっている。また、別のソーシャルネットワーク上のつながりの研究では、今や誰であろうと、どこにいようと、人と人は6人ではなく、平均3・9人でつながっているといわれている。

お金は人を媒介している。そして自分は地球上の誰とでも3・9人から6人以内でつながっている。意外と、お金は想像以上に近くにあるのだ。

1次のへだたりでは無理でも、2次、3次のへだたりでお金に手が届くかもしれないのに、ほとんどの人はお金について近視眼的な見方をしているがゆえに、1人目で挫折する。

相手に拒絶されれば、あっさりそんなものだと思ってしまったのかもしれないし、別の人を紹介してくれるよう頼まなかったのかもしれない。

要求を押しすぎた、あるいは押しが弱すぎたのかもしれない。

もしくは、人と人とをつなぐネットワークが見えていなかったのかもしれない。

単に、お金を得る手段としてではなく、次のようなことが回りまわって、交換される媒体として相手を見てほしいのだ。

◎ あなたの評判
◎ 相手の頭の中であなたが占める「スペース」
◎ あなたの「影響力」
◎ あなたへの紹介
◎ 知り合いの輪
◎ あなたの魅力、吸引力、創造性

人間関係を1次元的に考えるのではなく、2次的、3次的に広げていくと、次のようなことはどう変わるか考えてみてほしい。

◎ 資金調達
◎ ビジネスアイデアの売り込み
◎ 取引、資産、財産の発見

- ビジネスのマーケティング
- 製品、サービス、アイデアの販売
- 借金完済
- スタッフやパートナーの獲得
- 職探し
- 大きなビジョンを共有し、他者を触発すること

これは単に、長期的思考VS短期的思考ではないかと反論する人もいるだろう。

しかし、私はもっと奥深いと考えている。

お金を引き寄せる力になるのがこのつながりだ。

自分の周囲にあるつながりを線で結び、自分のポジティブな評判が6次のへだたりに広がって、お金を集めてくるのを想像してほしい。

形がなくとも存在するものはある。

「いいとき」も「悪いとき」も続かない

私は子どものころ、雨など全然降らなくてもいいのに、学校では蛇口からコーラが出てくればいいのにとも思っていた。

子どもじみた無邪気な考えだが、これと同様に、多くの人が「夏がずっと続いて、冬が来なければいいのに」という極端な考え方を、お金、サイクル、そして経済に対してかたくなに持ち続けている。

好景気がずっと続けばいい。不景気が来なければいい。今度こそ、次は、違っていてほしい、または同じであってほしい。または、自分の思いどおりにコントロールできればいい——。

だが、季節と同じで、経済にもサイクルがあり、ミクロ経済、マクロ経済も同様である。サイクルは人生および、お金の重要なパーツとして、バランスと秩序を保っているものだ。世の中はお金と人間の性質にしたがって回っている。そして、リスクと報酬は密接につながっている。不安と欲のように、これらは背中合わせなのだ。

強気のときにチャンスを目にすると、人は欲(成長)にばかり走り、そして弱気のときには貯蓄と守りにばかり走る。

人の行動には一貫性がなく、直線的でも、論理的でもない。まったくもって感情的な生き物だ。行動と感情は過度になりがちで、極端から極端へと振れる。

論理を重視する経済学者の多くは、経済が抱える「エゴ＝自我」を見落とす。彼らと政治家は経済の仮説モデル（ケネス・J・アローやジェラール・ドブリューといった数理経済学者の理論、完全競争など）や、一連のパターンや行動を予測するシステムで、経済の揺れを「解決」しようとする。そうして一貫性のあるパターンが予測可能だと考える。

しかし、これはほとんど幻想だ。なぜなら人の感情は論理を圧倒するからだ。

これは、「不完全のパラドックス」と呼べるだろう。

人間は成長のために完全性を求め続ける必要があるが、完全競争にゴールなどなく、根本的に確実なものなど存在しない。明日、何が起きるかはわからないのだから。

勝つ見込みのあるゲーム

到達できないのに完全性を追うのはバカバカしいのではないか？

これはお金の本なのに、矛盾しているのではないか？

そういうみなさんのために、ここではっきりさせておこう。

私はゲームに参加するなら、「勝つ見込み」のあるものを選ぶ。

不完全な世の中においても、自分である程度コントロールできるゲームだ。

読者のみなさんにもどうかそうしてほしい。大統領選の結果や社会全体の不平等のように、自分のコントロールの外にある物事を批判し、自分を正当化し、守るのではなく、**「では、今の自分に何ができるか」に焦点を当ててほしい**のだ。

変化をもたらすには、自分がシステムを変え、お金を儲け、リーダーシップと影響力をつくっていくのだという強い信念を持つことだ。

誰もが尊敬する成功者たちを見てほしい。彼らは口を出すだけでなく、行動で証明し、成功するとお金と影響力をつかって強力な地位を手に入れた。

個人の経済は、自分にコントロール可能な最高のゲームだ。ひいては地域経済、国家経済、さらには世界経済に影響を与えることだってできる。

トップダウンでシステムを変えようとあがくのは無意味である。

「組織（システム）」の中でトップまでのぼりつめるには何十年もかかり、たどり着いても、そこで手にすることができると信じてきた力は、権力闘争や官僚的な慣れ合いに蝕《むしば》まれていることに気づくだけだろう。

システムを変えること考えるより、自分を変えることだ。トップダウンではなく、ボトムアップでシステムを変えるのだ。

これはまさに「マイクロソフト」のビル＆メリンダ・ゲイツ夫妻が選んだやり方で、のちに投資家ウォーレン・バフェットも加わった。彼らは私欲と無欲のバランスを取り、個人的、国家的、そして世界的に富を広げるやり方を示してきた。

変化を見たいなら自分がその変化になろう。あなたが始めれば、富は**あなたから流れ出て、あなたへ戻ってくる**のだから。

不景気ほどチャンスがある

不安定さはビジネスではチャンスになる。

お金がより速く、より自由に動くのだから。景気が悪いときに試練はつきものだが、試練を受け入れることでチャンスは増える。

不景気には問題が増えるということは、つまり、解決すべき問題が増える＝チャンスも増えるという図式だ。

当然、難易度の高い問題を解決するほど、高い収入が得られるのはいうまでもない。

どんなときも不況や恐慌に備え、安く買う準備をしておくのだ。

「打って出る」ための現金を用意しておこう。これはただのショッピングではない、高級デパートの品物がびっくりするような値段で買える、大バーゲンなのだから！

景気について見据えておきたいこと

1 サイクルはパターン化できない

それぞれの「循環(サイクル)」は異なる。次の不況は、前回の景気サイクルを直接体験していない世代を直撃する。彼らは「間違い」から学ぶことができず、前の不況のときに第一線にいなかったため、手痛い目に遭っていない。

それに、たとえ前回のサイクルから教訓を学んでも、次のサイクルはまた異なったものになるだろう。異なる人々、産業、社会情勢、災害……ありとあらゆる予測不可能な出来事や現象により引き起こされるのだ。

2 永続的なバランスは存在しない

バランスはつねに変動する。振り子のように端から端へと揺れ、特定のポイントにあるのはほんの一瞬だ。つまり「サイクル」と「バランス」は不動ではない。

長期にわたってバランスを保てると考えるのは、揺れる振り子が中間にある時間は、ほかの周期より長いと考えるのと同様に間違っている。

バランスを期待せず、振れ幅いっぱいに動き続けることを覚悟しよう。現実を受け入れるのだ。

3 人間は「羊の群れ」と同じ

人は集団になると知性のレベルが低下する。集団は集団にしたがう。無知をさらけだし、全員が錯覚におちいってしまう場合もある。

市場は経済評論家が語る理論ではなく、集団にしたがって動くことを覚悟しておこう。

好景気の真っ最中に、こう宣言する投資銀行の人間はいない。

「この状況は長続きしないぞ！　いつかは終わる。みんな過剰な金儲けはやめにして、（私も含めて）高いボーナスを受け取るのをやめよう！」

人はほかの人がやっていることと、その時点でもっとも自分の利益になることをする傾向がある。

4 成長の本質

人生の目的のひとつが成長であるように、人間の本質は成長することにある。

人は来年はもっとよくなることを願い、悪くなることを望んだりしない。企業、政府、そして金融機関の主要な目標と成功の尺度は「成長」だ。そのため、人や企業は「好況」(成長)は求めても、きたるべき「不況」を受け入れ、予期し、そのために備えることはしない。これが不況を長引かせる要因となる。

5 人間は世界をあるがままではなく、自分たちが見たいように見る

人は事実ではなく、自分が選んだものを信じる。人は短期的な自己の利益のために行動し、振り子が真ん中から端へ振れるように、未来のバランスを変えてしまう。

人は誰しも自分を合理化し、現実をねじまげて、納得させる天才だ。

6 欲と不安

人は状況が悪いときには実際よりも悪く考え、状況がいいときには実際よりもよく考えがちだ。不安と欲は市場を極端から極端へと動かす（決して真ん中へではなく）。市場とお金は人間のために役に立つ機能であり、感情は人間性の表れだからだ。

これは投資家ジョージ・ソロスによって「再帰性（reflexivity）」として説明されている。再帰性とは原因と結果のあいだの相互関係を指す。

再帰的関係においては、原因と結果の両方が互いに影響し合い、どちらが原因でどちらが結果は区別することができない。

経済学でいう再帰性とは、「市場心理とそれが引き起こす結果の自己強化作用」を意味し、高値が買い手を引き寄せ、彼らの行動がさらなる高値を呼ぶというくり返しが最終的には維持できなくなることを指す（好況）。同じプロセスが逆へ働くと不況になる。

7 勢い（モメンタム）

特定の方向へと市場に勢いがついているときは、それについていくよりほかに選択肢はない。選択肢があるとしても、困難である。力の向きを変えることは、勢いにしたがうより難しい。

たとえば、住宅購入のために融資を多く受ける人が増えると、住宅ローンを組むことが普通になり、融資を受けないほうがリスクは増す。
こんなとき、どうするだろうか。誰もが借入金を増やしているときに、踏みとどまるか、もしくは小さな家に住み替えるか。それともみんなと同じようにお金を借りるか？

経済とは、あるがままの姿である（われわれが〝こうあるべき〟と考える姿ではない）。変えられないものを変えようとしたり、諸悪の根源を経済状況のせいにしたりするより、それらを活用しよう。

世の中の経済は自分個人の経済状況と同等ではない。不況下でも、自分の財布の景気を上げることはできるのだ。自分のコントロール外にある外的要因に、頼るのはやめよう。はっきり申し上げて、お金を稼ぐのに「ちょうどよい時期」というものはない。

どのサイクルにおいても変わらないのは自分自身だ。
いつでもサービス、価値、問題の解決策は変わらず必要とされているのだし、人々の暮らしをより速く、より楽に、よりよくすることは普遍の営みである。

革新し、反復し、順応する。
プラス面にマイナス面を見出し、マイナス面にプラス面を見出す。

最悪に備え、その中でのベストを狙う。
トレンドを研究し、きたるべき課題をその他大勢に先駆けて解決する。
専門を持つ。
ハイブリッド化する。
進化する。
問題に突き当たったら、腕まくりをしてすばやく解決する。
お金を稼げる人は、つね日ごろからこういうことを考えている。

第3章

お金持ちの考え方、その他大勢の考え方

なぜかお金が集まってくる人の思考パターン

すべての考え方には正反対の考え方があって、自分が事実だと信じることを、嘘だと考える他人は必ずいる。

多くの人はお金のことを夢見るよりお金の心配に多くの時間を費やし、お金について現実的に考えるより、お金のことを夢見るのに時間を費やす。

どういうわけか、貧しい考え方を勲章のように身につけている人が多い。まるで清貧にプライドを持っているかのごとく。

もし、大人になる過程で、まわりの人たちの極端な意見ばかりでなく、さまざまな意見を見比べ、自分のためになるほうを選ぶことができていたらどうだっただろう？

過去を変えることはできないが、未来を変えていくことはできる。

本項目では、私自身がこの10年間で数十万人と接してきて得られた、お金持ちとそうでない人たちの考え方のパターンをまとめてみた。

さあ、みなさんはどちらの考え方に共感できるだろうか。一緒に見ていこう。

持つ者の考え方「お金はすべての善の源だ」
持たざる者の考え方「お金は諸悪の根源だ」

後者はお金についてよく語られる間違った引用のひとつだ。

本当にお金が諸悪の根源なら、お金の登場以前は悪が存在しなかったことになる。もちろんこれは真実ではない。それではお金とテクノロジーの発達後のほうが、人類は野蛮化したとさえいえそうではないか？

お金は悪の手段となることはあるが、お金じたいに善悪はない。

むしろ、すべての善の源と考え、お金をいいことのためにつかうこともできる。

病気を治す。寄付を行う。時間を買って還元し、他者を助ける。お金がなければどうにもできない問題を解決することができる。

たしかに、20ポンド（約3000円）で銃弾を購入し、学校にいる罪のない子どもに向けて無差別に発砲するような鬼畜もいるが、同じ20ポンドで、2ポンド（約300円）のハンバーガーに18ポンド（約2700円）のチップを置くことができるし、発展途上国に暮らす家族を数日から数週間養うこともできる。

こうして見てみると、お金は**人間の意志を実現する手段**にすぎない。

かつての私は、お金はおもに不道徳な用途につかわれると思い込み、汚れた金の亡者になりたくなかったから、お金とは距離を置いていた。

だが、皮肉なことに、判断の根拠となる実体験など私にはなかった。金持ちの知り合いなど1人もおらず、なにか世の中のためにお金をつかってみたことも、つかおうとしたこともなかった。これが単なるひがみだと気がついたのは、それから7、8年もあとだ。

持つ者の考え方
「お金をつくるには自分の力が必要だ」

持たざる者の考え方
「お金をつくるにはお金が必要だ」

経済誌『アントレプレナー』のオンライン記事によると、全ビリオネアのうち62％は「セルフメイド（自力で達成すること、成り上がること）」だ。

つまり、彼らは莫大な遺産や贈与なしに1代で財を築いている。億万長者を研究したトマス・J・スタンリーは、「どの調査でも一貫して80から89％は自力だ。これはデカ・ミリオネア（訳注：10億円以上の資産家）にも当てはまる」と記している。

この数字が事実だとすると、お金や遺産以外のなにかがお金をつくっていることになる。すべてのお金は思考から生まれるというのが私の考えだ。思考はアイデアにつながり、アイデアは決断に、決断は行動に、行動は結果につながり、次に結果が試され、改善され、拡大化される。

アイデアというのはつまり、愛情、奉仕、解決策、暮らしをより楽に／より速く／よりよくすること、苦しみの緩和、病気の治癒、新しい情報、知的財産、特許、著作権、製品、サービス、サブスクリプション、営業販売権、使用権、資産など、まだまだある。

そして思考やアイデアには創業資金は必要ない。必要なのはビジョンと行動だ。

お金をつくるにはまずはお金が必要だと、かつては私も思っていた——私にはお金がなかったし、それどころか借金まで抱えていたからよくわかる。

お金がないから、自分にはお金をつくる能力はないのだと、はなからあきらめていたし、お金をつくるアイデアを受け入れる気もなかった。

もしも「今の私」を20代の私が見たら、こう思ったことだろう。

「きっとあいつは実家が金持ちなんだ」

「いけすかないボンボンめ!」

持つ者の考え方

「金融制度は価値をつくり、お金を加速させる」

持たざる者の考え方

「金融制度は邪悪で、不正で、腐敗している」

資本主義は、個人が公正な暮らしを立て、利益と勤労のバランスを取りつつ融合できる制度だ。お金をつくることで、経済、サービス、雇用、税金、他者への利益が生み出される。

公正で完全な競争が盛んになると、価値をあまねく交換できる。

規制と独占禁止法があることで、強欲と寛容のバランスが保てる。

有限責任があることで、債務の弁済を起業家個人にではなく会社に負わせるため、起業家はさらなるリスクを取ることができる。

どうだろう。あなたがアイデアを仕事とお金に変えるのを邪魔するものは皆無に近い。もし邪魔をする人間がいるとしたら、自分自身だ（私ではない！）。

持つ者の考え方
「（よい）借金は善だ」

持たざる者の考え方
「借金は悪だ」

私の経験では、人は借金に対して次の3パターンのようにふるまう。

1　自分が持っていない額のお金を浪費し、借金を抱える（負債のための借金）
2　少しでも借金を負うのを嫌い、「支払う余裕がある」ものだけを購入、または投資対象にする

3　よい借金を活用し、収入を生み出す資産を買う

1は「愚行」、2は「安全・確実」、3は「かしこいレバレッジ」と呼ばれる。

事実、消耗品は時間とともに価値が下がるのだから、負債のための借金は、貧乏への道だ。日常生活に必要なものにつかうことのできるお金は、自分が持っている分、手に入れられる分、支払うことのできる分だけだと知ること。これが豊かさへの第一歩だ。

価値の下がるものを買って借金をしてはならない。なぜかというと――

1　借金にお金がかかり、さらなる借金を引き寄せる
2　借金で買ったものの価値も下がる
3　お金をほかへ投資しなかったことにより稼ぐチャンスを逃し、機会コストを負う

負債のための借金を完済し、収入を生み出す「よい借金」を資産に投資することを考えていこう。具体的な方法は第4章で後述する。

持つ者の考え方
「お金に一生懸命働いてもらわなければならない」

持たざる者の考え方
「お金をつくるには一生懸命働かなければならない」

私はなにも「祈りましょう。静かに座っているだけで、宇宙があなたに豊かさの雨を降らせるでしょう」などと、スピリチュアルなことを言いたいのではない。

アフリカにはこのような格言がある。「祈るときは足を動かしなさい」

だが一生懸命に働くだけでは、壁にぶつかるときがいずれ訪れる。

1時間当たりの収入が伸び悩み、働けば働くほど収入が減る。稼ぎは伸びないのに、労働時間はどんどん長くなる。たとえ給料が上がろうと、仕事に注ぎ込む全時間と比べれば割に合わないだろう。

それなりの給料をもらっている人々の多くは、時給に換算すると1時間当たりの価値がずいぶん低い。じつは、価値と収益性が時間と労力に直結していないからだ。

起業家の場合は特にそうだ。事業と収益力をうまく組み合わせることで、われわれの時間の価値はどんどん高まる。

高い価値の「仕事」をする数時間は、資産、システム、ソフトウエア、レバレッジ、情報、知的財産、特許、著作権、人間関係、プロセスを通して、莫大な生涯所得に変わりうる。必要なのは「かしこいハードワーク」だ。

持つ者の考え方
「自分がお金を儲ければ、みんなも儲かる」
持たざる者の考え方
「自分がお金を儲けたら、誰かが損をする」

窃盗や詐欺を働いているのでなければ、お金を儲けてもほかの誰かが損をすることはない。人はある商品やサービスに価値を見出したとき、自身の選択でお金を支払う。

あなたは役に立っているのであり、相手をだましているわけではない。受け取るお金を増やしたいなら、サービスと価値を増やせば、より多くの人が感謝を持って、もっと多くのお金を払いたいと思うだろう。

もしも相手があなたへお金を与えたことを悔やんでいるなら、それは相手が強いられたか、利用されているからだ。

当然、強制したり、操作したりしてはいけない。いずれしっぺ返しを食らうことになる。

相手を大切にして奉仕し、こちらが提供するものに見合った公正な代価を求め、自分の価値を高めるのに合わせて代価を上げていこう。

ときに世の中には、お金をだましとる人もいるが、そういうやり方は通用しない。いずれ長い目で見ると富とお金が再分配されるのは、必ずわかる。粉飾決算で倒産した「エンロン」を筆頭に、そうした企業は枚挙にいとまがない。

「受け取るより、与えるほうがいい」という考えもある。

しかし、与える人がいれば受け取る人がいることを忘れてはいけない。片方がなくては起こりえないのだ。だったらなぜ、与えるほうが受け取るよりいいなどという勘違いが起こるのか？　いい悪いの問題ではない、同じことなのだ。

私たちは社会や親、メディアによって「受け取ることは欲深いことだ」と頭に植えつけられている。こんな思い込みは捨てよう。

与えることも受け取ることも、両方いいことだ。公正な交換にはどちらも必要だ。多くの人は、もっといい受け取り方を学ぶ必要がある。

相手が与えたがっているものをありがたく受け取ることは悪いことだろうか？

時間とエネルギーと愛情を費やして購入した贈り物を、または大切に思う相手への奉仕を、突き返され、拒絶されたらどんな気がするだろうか？

多くの人は、「自分にはもったいない」と考えて、わざわざ辞退する。そんな人にはなにが起きるだろう？

なにも起きない。彼らはそこにあるものを、受け取ることがないのだから。

持つ者の考え方
「優先順位の低い仕事をする時間はない」

持たざる者の考え方
「お金をつくる時間がない」

ビル・ゲイツの1日も、みなさんの1日も、時間数は同じだ。持っている時間の量はみな同じなのだから、「時間がない」というのは完全な思い込みである。

むしろ「今の私には重要ではない」というのがその言葉の本当の意味だろう。

お金をつくる時間がないというなら、自分の人生において、お金はそこまで重要ではないということだ。

そう言うと反発されるのだが、たいていの人は無意識のうちに、お金づくりよりも現状維持、快適さやそのほかの価値をより強く求めている。

子育て中の母親は、お金をつくりたいと考えても、時間とエネルギーを育児に集中させることを優先させるかもしれない。

ゲームおたくはお金をつくりたいと考えても、ゲーム機の前から動かないだろう。

利益を生み出す仕事で自分の時間を埋めなければ、自分の時間はたちまちほかの人たちの仕事によって埋め尽くされるだろう。

たとえば、1日の終わりに、大切な仕事はひとつも終わらなかったのに、誰かから頼まれた急ぎの仕事にばかり追われたと感じることはないだろうか？

それはあらかじめ仕事の優先順位をつけていないあなたに代わり、まわりの人たちがあなたの時間に優先順位をつけてしまったのだ。そう、**計画をしっかり持っていなければ、自分の時間はいともたやすくほかの人に乗っ取られる！**

お金持ちは自分の時間にとても厳しく戦略的だ。みずからの時間的価値、1時間当たりのコスト、そして「変化をもたらす」ために最優先すべきことを知っており、それらを機能させることのみに集中する。

はっきり言って、彼らがかならずしもあなたと比べて頭がよかったり、才能に恵まれているというわけではない。単に、時間と優先順位の価値を知っているのだ。時間はたっぷりあると見なすか、まったくないと見なすかは、自分しだいなのである。

持つ者の考え方

「私には価値があり、お金を稼ぐ才能がある」

持たざる者の考え方

「私にはできない。力不足だ」

ひとりひとりに十分な力がある。ほかの人にできるなら、自分にもできる。

この本がまだ答えていない疑問があるなら、自分が尊敬し、ああなりたいと願う人たちの自伝を読んでみるといい。

これまでに、何百人というお金持ちたちの経験談を聞いてきたが、もれなく全員がこれまで信じられないような試練に遭遇している。

全員が今よりずっと少ない資金からスタートしている。

全員がゼロから築き上げている。

全員がある分野では救いようのないダメ人間で、それはまさにあなたが得意とする分野かもしれない。

全員がたくさんのミスを犯してきた。

全員がトップにいながら、今も試練を経験している。

つまりは全員が普通の人たちで、その全員があなたや私と変わらないのである。

尊敬する人たちに学ぼう。だが崇めているだけではダメだ。

巨人を足もとから見上げるのではなく、彼らの肩にのって立ち上がろう。メンターから学び、彼らの偉大な特性を参考にしながらも、自分だけが持つ能力を見極めるのだ。

持つ者の考え方
「お金をつくり、分かち合うのは、私の使命だ」

持たざる者の考え方
「私には金持ちになるだけの価値がない」

もちろん、ひとりひとりに金持ちになるだけの価値がある。

裕福になるということは、自分の価値が高まるのと同時に、誰かに価値を与えることを意味する。

自分には価値があるということを、自分自身で認めることで、自己価値は上昇する。ただ、富を受け入れ、富を与えることを許すのだ。

たとえば、今のあなたは、貧しくて苦労した親の考え方に縛られていないだろうか。

自分には「稼ぐ能力」などないと思い込んでいないだろうか。

過去のつらい体験を引きずっていないだろうか。

しかし、それらを受け入れ、感謝し、自分を通して豊かな人生が実現することを許していかなければならない。

私は人生で愚かなことをたくさんしでかした。とりわけお金に関することではそうだ。何年も自分が嫌いで、間違いを犯してはとことん自分を責めた。

自己啓発書をむさぼり読み、人から際限のない承認を必要としたが、当時の私のような、不平不満だらけの人間が変われるのなら、あなただって変われないはずがない。

持つ者の考え方
「先に蓄え、その残りで必要経費を支払う」

持たざる者の考え方
「必要経費の支払いに追われ、なにも残らない」

先進国に住む持たざる者は、すべての請求書と費用を支払ったあとで、自分へ支払う。

自己啓発書の作家ジム・ローンが言うように、「いつもお金が足りない状態」なのだ。出費は決してなくならないのだから、なにも残るはずがない。

だから順序を逆にして「先に自分へ支払う（蓄える）」のだ。そうすれば残ったお金でやりくりすることになり、それによって出費は減る。

どれほど小さな金額でもかまわない。たとえ5000円でも、自分のために貯めれば、すぐに積み重なっていく。収入が増えるのにしたがい、貯める割合を増やそう。小さいことから、行動と結果を変えていくのだ。

もしあなたが会社を去っても、あなたがしていた仕事をただでやる人はいない。だったらなぜ、あなたはそうしているのだろうか。

多くのビジネスオーナーすら、まるでただ働きが立派なことであるかのように、コスト削減のためと言って自分は何年も受け取らずにいる。

しかし、ビジネスで成功したいのなら、真っ先に自分へ支払うべきだ。あなたには価値があるのだから、これは公正な行為である。

自分を後回しにする考え方は、自分は金持ちになる価値がない、お金は他者の犠牲の上につくられている、という思い込みに強く根差している。

持つ者の考え方
「あれこれ言われるのはどのみち同じだ」

持たざる者の考え方
「お金で人が変わったとあれこれ言われそうだ」

あなたがなにをしようとあれこれ言う人は必ずいる。

ボロ車に乗ろうと、ピカピカの真っ赤な車に乗ろうと、なにか言われるときは言われる。あなたの富に刺激を受ける人もいれば、あなたが貧しいとホッとする人もいる。長所ですら指を差されることもある。

なにをしようと、自分を好きになってくれる人と嫌う人が同時に存在する。顔つきが気に食わない、という人もいるだろう。私は赤茶色のひげを蓄えているが、母を除けば、たいていの人はこのひげが嫌いだ。

ここで重要なのは、人はあなたを批判しているわけではないということだ。人はその人自身の経験、信条、嗜好《しこう》、価値観にもとづいて他人のことをあれこれ言う。人は他人を通して、自分に対する判断を下しているのだ。

以前は、自分がもっと立派になれば、人から口を挟《はさ》まれることは減るだろうと思っていた。それはとんだ思い違いだった！　成功すればするほど、批判が飛んでくるし、立派になればなるほど、あら探しをされる。

「みんなに好かれる（またはみんなに嫌われる）」という幻想にクヨクヨすることをやめれば、他人が求めるような人間になるために時間とエネルギーをムダにすることはなくなる。

自分のキャリアを大切にするワーキングマザーは、子どもよりお金を優先していると、専業主婦に批判されることもあるだろう。

音楽や映画、芸術の世界で成功し、金銭的にも満ち足りたアーティストは、芸術を売り物にして堕落させていると、売れないアーティストたちから指を差されることもあるだろう。

厳しい決断をするビジネスオーナーが、従業員を解雇せねばならず、交渉ごとでは激しい駆け引きをするなら、血も涙もない強欲社長だと陰口を叩かれることもあるだろう。

しかし、あなただけは本当の自分を知っているのだ。乗り越えてきたことも、自分が払ってきた犠牲も。だから、自分を批判する人たちを丸ごと受け入れよう。

言いたいように言わせればいい。落ち込む必要はないし、うぬぼれてもいけない。ただ、ありのままで、自分がやるべきことをやればいい。

「お金」と「感情」のコントロール

あなたはお金を支配しているだろうか、それともお金に支配されているだろうか。

世界一の金持ち、投資家ウォーレン・バフェットが言うように、「自分の感情をコントロールできるまで、富をつかむことを期待してはならない」。

今、自分が持っているお金を管理できるようにならないかぎり、これからお金を儲けても、管理することができない。

感情のコントロールは、富の前に立ちはだかる巨大な障壁のひとつだ。

——過度の苦痛と快楽は、魂がかかりやすい最大の病と見なされる。快楽の絶頂にいる——

者、または苦痛のどん底にいる者は、なにひとつまともに見ることも聞くこともできない。

その者の心は錯乱しており、判断力は皆無だ。

プラトン

強烈な感情は富を損なう。自分が溺愛する対象、憎悪する対象は、自分を支配する。有頂天のとき、意気消沈しているとき、その人は感情に支配されている。

多くの人が、人生の目的は幸福だというだろうが、突き詰めれば幸福は感情であり、お金を食う。極端な感情は、それがよい感情であっても悪い感情であっても同じことだ。気分が晴れないときには、なにかを買ったり、食べたりして、気晴らしがしたくなるだろう。

一方で、最高の気分のときにも、なにかを買ったり、飲んだりして、祝いたくなる。人は「モノ」を買って感情をつくり出し、ごまかし、修復するが、その感情が薄れたあとはむなしさが残るだけだ。

たとえば、早くお金を稼ぐため、不動産物件を購入するAさんという人がいる。待たされるのが嫌なAさんは、多めに払ってでも今すぐ買いたいと思っている。不動産業者と売り手はそれを感じ取り、購買欲につけ込んで高値をふっかける。

Aさんは物件をほかの購入希望者に奪われまいとして高値に応じる。Aさんは、正しい決断をした、これは資産だから問題ない、と自分で自分を納得させるだろう。後ろめたさを感じないよう、間違った選択をしたと思わないようにするだろう。

しかし、焦って、払わなくていいお金を払った。そして思うような結果が出ないと、幻滅し、まわりを非難し、不平を鳴らし、正当化する。あきらめさえするかもしれない。

反対に、絶対に間違いを犯したくないBさんという人がいる。だから、なにもせず、なにも買わないとしよう。

人生で間違ったことをするのが嫌なBさんは、自分にはできないと心に言い聞かせ、できない証拠を見つけてくる。そして決して腰を上げない。失敗を恐れ、なにも行動を起こさない。

人は自分にとってベストな判断を下すのではなく、自分にとって居心地がいいと感じることをする。正しい決断を下すより、勝ちたがる。正しいことをするより、メンツを保ちたがるのだ。

自分自身が決めてやるのではなく、感情に乗っとられて行動する。その結果、後悔、羞恥心、罪悪感、自己否定などの、自責の念が起きるにもかかわらず――。

ここに投資やビジネス全般において覚えていただきたい、2つの基本ルールがある。

ルール1　気持ちが浮き立っているときには、正しい買い判断ができない

ルール2　逃げ腰になっているときには、正しい売り判断ができない

この2つのルールを念頭に決断ができている人はほとんどいない。多くの人が投資に失敗し、富裕層になれないのはそのためだ。そこで、もっとも簡単にできる対処法は、**「多数派の人たちを観察してその逆をする」**ことである。

また、エゴと誘惑を排して、心のバランスを保とう。

ダイエット中なら、冷蔵庫を空にする。衝動買いをしがちなら、店に行かない。資産を購入するなら、徹底的にリサーチするまでは現金もカードも持っていかない。

感情の影響下でお金に関する決断を下すと、後悔するか失望することになりやすい。

私自身、いまだに学びの途中である。

過去、もっとも感情に支配されていたときには、家にはテレビが5台と（寝室2つの家で！）、家のサイズに見合わない大きすぎる超高級ステレオセットがあった。

なのにお気に入りのピカピカのデザイナー家具に、テイクアウトの中国料理をぶちまけるしまつだ。見栄えのためだけに高い利子を払いながら、合わせて5万ポンド（約750万円）近い借金をしていた。

体重を落とそうとしている人が、自分へのご褒美だと言ってアイスクリームを食べるのとたいして違わない。この矛盾に気づいていただけるだろうか。

お金に関する心配にとりつかれていたとき

お金のことばかり考えている人はロクなやつではないとよくいうが、私自身はフトコロが寂しいときにこそ、お金のことが頭から離れなかったものだ。

お金がないことが不安でならず、お金がないせいでできないことをあれこれ考えた。

不安はさらに借金を引き寄せ、心配すれば心配するほど状況は悪化した。今思えば心配することで自滅し、自分を罰していたのだと思う。

不安は人間関係にも、自尊心にも、自由にも、悪影響をおよぼした。

ＡＰ通信とＡＯＬによる調査では、経済状況に不安があると、健康問題のリスクが上昇するのだという。借金のために大きなストレスを抱えている人とそうでない人とでは、心臓発作が起きる確率は、前者が後者の2倍だった。

潰瘍や消化器系疾患でも同じような結果となった――経済的ストレスを抱えている人のうち27％が消化器系の病気を抱えているのに対し、経済的ストレスのない人は８％に留まった。前者のうち44％が偏頭痛持ちだが、後者では４％にすぎない。経済的なストレスがある人の23％は気分の落ち込みを経験しているのに比べ、そうでない人は４％だ。


お金の心配を避けるために、簡単な方法がある。**金融知識を積極的に学び、計画を立てる人たちは、自信があってストレスが少なく、心の病にかかる割合が低い**ことがさらなる調査でわかっている。

「メットライフ生命保険」が行った最近の調査では、お金についての研修へ参加することで、自分のお金を管理できている実感が増したと回答する人が25％増加した。

文字どおり、自分のお金と経済について学び、計画することで、不安とストレスが軽減され、幸せにも健康にもなれる。

かしこい「消費欲求」を持つ

かしこい選択をするには、長い時間にもとづく経験が必要だ。往々にして、うますぎる話にはやはり裏があるものだ。とくに自分にとってさほど重要ではないものごとほど、人間は消費欲求に屈しやすい。

私が17歳のときの話をしよう。

当時、私はバイク事故で大けがをし、両腕・両脚を骨折、ひどい脳しんとうを起こして何日も入院した。リハビリに何カ月もかかり、左腕は動かなくなる恐れがあった。

ただ幸いなことに、保険会社から1万5００ポンド（約157万円）の保険金が下りた。にもかかわらず、バカな私は1年もせずにそのお金をつかい果たしてしまったのだ。

なぜか。

自分へのプレゼントに20万円のデジタル・ビデオカメラと、スーツを数着購入した――大学に入ったら、なにはなくともパリッとしたスーツが必要になるじゃないか！　と考えたからだ。おまけに預金口座に少しは残っていたお金も、あっというまに消えた。

保険金をつかいきってしまったのは、自分で稼いだお金ではなかったからだと思う。それに、お金に関する知識も管理スキルもゼロだったし、事故と引き換えにもらったお金だったため、まるでボーナスのような気分でいた。

その後大学生になった私は、毎週土曜の朝早くに車で2時間かけて実家へ戻り、両親が経営するパブでバイトをすることになった。

70ポンド（約1万円）の稼ぎにしかならなかったが、そのお金はできるかぎり慎重に管理した。なぜなら、それは犠牲を払って稼いだお金だったからだ。


大人になった私は、不動産、ビジネス、それに教育の現場で人々を観察し、これとまったく同じ非合理的な行動を目にしてきた。

不動産バブルに沸いた2000年代初めからなかばにかけて、イギリスでは多くの人が2年ごとに持ち家を抵当に入れ直しては借入金を増やしていた。

住宅のエクィティ（訳注：不動産の市場価値から住宅ローン残高を差し引いた残り）を担保にするエクィティ・ローンでは、労働で汗をかくこともなくお金が入ってくる。みずから貯蓄したお金と比べて、人々の借入金の扱い方はぞんざいだった。

彼らは、海外や完成前の物件や、中身があるのかないのかわからない不動産がらみの自己啓発講座に、たいした下調べもせず、無頓着に大金を支払った。

贈与や住宅のリファイナンス（借り換え）など、楽に入ってきたお金は、苦労して稼ぎ、税金を引かれたキャッシュよりもさっさと懐から出ていく。遺産をたちどころにつかい果たす人がいるのはこれと同じ理由だ。

ニュースサイト『ビジネスインサイダー』によると、店舗でのカード払いは現金での支払いより12～18％支出が増える。

すべてのお金は同価値ではない。お金に関わる感情を自覚し、うまい話に用心することだ。楽に手に入るものはすぐに出ていく。

浪費につながるマインドセット

焦ってお金に関する決断を誤る人は多いが、そういう人は往々にして、ビジョンと価値観が欠けている。

焦りは恐怖、心配、貪欲、痛みを鎮《しず》めようとする行為、人からよく見られたがる願望、なにか重要なものごとを見逃してしまうのではないかという不安などにより引き起こされる。

たいていの人は短期間で自分が成しうることを多く見積もりすぎ、生涯を通して成しうることを少なく見積もりすぎる。

時間は、自分自身で考えているよりもたっぷりある。焦ると浪費につながり、他人からカモにされるリスクを生み出す。

また、衝動買いによる気晴らしは典型的な感情のパターンで、クセになりがちだ。これもまた、浪費につながる。クレジットカードの請求に追われたくなかったら、次にあげる簡単なルールにしたがおう。

1　予算の上限を決める
2　現金のみか、その金額だけを入れたカードを持っていく
3　「ショッピングの代理体験」をする――山のように買い物をする人（たとえば私だ）についていき、ショッピング気分を味わう（自分は買わないようにする）
4　すぐにその場で買わないと決める。あちこち見て回ってから、最後にもう一度戻ってくる
5　出かける前にカフェインを飲んで「ハイ」にならない（自分への忠告だ）！
6　価格を書き留め、帰ってからネット上で比較検討する

自分へのご褒美にお金をつかうのはよいが、「たまに」と「相応の」という条件がつく。

多くの人はたとえば、金曜日だからという理由だけで気前よくお金をつかいすぎている。

（結果ではなく）自分がとったよい行動にご褒美を与えるようにし、祝う価値のあることのためにお金を貯めよう。


また、愛情や関心を引くため、魅力を得るため、痛みを鎮めるために、稼いでいるよりも多くのお金をつかっている人も多い。

自分の「ありのまま」に自信がないのはあなたひとりではない。ムダづかいをやめたいなら、今の自分を愛することを学び、すでに持っているものを受け入れることだ。

「罪悪感」という魔物

罪悪感は人の心を支配し、お金をつかうことでその強い感情を吐き出させようとする。

誰かを傷つけたことのつぐないに、お金をつかったことはないだろうか？

慈善団体の広告を見て、過去の思い出がよみがえり、月々10ポンド（約1500円）ならと、寄付せずにいられなくなったことは？

仕事が忙しく、恋人とあまり一緒にいられなかったので、プレゼントでその埋め合わせをしたことは？

驚くほど多くの人が、毎日のようにお金で過去をつぐなっている。自分が犯した過ちを許し、その中に隠された意義と意味を見出せば、お金をつかうことで罪悪感から逃げる必要もなくなる。

極端な話として聞いてほしいのだが、私の友人は、お金を儲けては手放すことを何年もくり返している。頭がよく、行動力もある男で、事業を興《おこ》すことにかけては、まさに本物のカリスマだ。

ビジネスアイデアを思いつくと、ビジョンが鮮明に見え、お金と結果がついてくるのが確信できるという。あれよというまに持ち前の才覚でビジネスと売上を拡大するのだ。

だが、軌道に乗り始めるとだんだんやる気が失せて、仕事も難しくなる。利益が上がるようになるが、配送や物流といった業務におもしろみを感じない。

ある程度成功すると、彼の中で「自己破壊（セルフ・サボタージュ）モード」のスイッチが入る。罪悪感、羞恥心、非難される恐怖、そしてその他の感情がわき上がる。最後は自滅モードに突入して、顧客やパートナーから遠ざかり、ビジネスを人任せにして自分は別の街へ移り住み、また新たなビジネスモデルやアイデア、戦略を探し始めるのだ。

お金がもたらした苦痛をやわらげるためにお金をつかうが、つかい果たすと今度は焦りが生じ、不満や不安などの感情が頭をもたげる。

このサイクルはくり返されるたびに間隔が短くなり、ビジネスの規模がどんどん縮小する。なんと悲しく、皮肉な悪循環だろう。この10年で彼は12回以上これをくり返している。

罪悪感から人を助けようとする人もいる。行為そのものは素晴らしいことだが、罪悪感、羞恥心、もしくは不安をやわらげる手段として行うのはすすめられない。

罪悪感から人助けに走る人というのは、周囲からもわかってしまうのだ。純粋なやさしさではなく、自分のエゴだから、いずれ反発やうらみが生じるだろう。くり返しになるが、無意味な罪悪感は捨て去ろう。

むしろ、さらに大きな富を築き、その収益力をつかって基金を設立したり、人々の生活を根本的に変えるインフラを整えたり、教育支援に乗り出してはどうだろう。

「うらみ」と「ねたみ」を手放す

じつのところ、**多くの人はうらみとねたみのパターンを、無意識のうちに、それでいて意図的に、自身の欠点から目をそらすために利用する。**

そしてたいていの場合、人は事実を誤解している。私がこの本を書いたのは主にこのためだ。

人をうらみ、ねたむのをさっさとやめよう。

ウェブマガジン「Busstle.com」に掲載されたJ・R・ソープの調査結果が役に立つ。

「ねたみは、きわめて特定のネガティブな偏見と結びついている。つまり、なにかに非常に優れている人は、根本的に信頼できない、または不誠実であるという偏見だ」

大金持ち（ユダヤ人とアジア人もまた、すべてこのカテゴリーに入る）に対する偏見は、彼らの明白な優秀さと、いかにそれに「値していない」ように見えるかに根ざしている。

ねたみの根本となるのは、「ほかの人が持っているものを欲しがる」感情だ。

これは「自己評価」と呼ばれるものの発達の一部であり、自己評価のために他人と自分を比較し、彼らと競争する。ねたみは「なぜ彼らであって、私ではないのだ？」という感情を生み出し、突出した1人だけが得をして、自分を含むほかの大勢が嫌な思いをしないよう、より「公正な」取り決めを求める原動力となる。

脳はねたみを感じると、失恋や社会的に拒絶される体験と同じく、肉体的な痛みとして認識する。わざわざ抱えておくべき感情ではないだろう。

決断する勇気

「痛みへの恐れ」と同様に、「損失への恐れ」は強力な感情で、判断を惑わせ、誤った決断を下させる。倹約家の人には思い当たる点が多いだろう。

「損失への恐れ」というのは、**等価を得るよりも、損失を避けることを好む傾向を意味する。人間は10ポンド獲得するより、10ポンド失わないほうを優先するのだ。**

心理学者エイモス・トベルスキーと行動経済学者ダニエル・カーネマンによる有名な研究によると、損失は心理的に利得の2倍、強烈なインパクトをもたらすことが示された。

このため、同程度の利得と損失どちらかを選ばなければならない場合、人は必要以上に損失を避けようとする。

研究では、料金の引き上げは、料金の引き下げと比較して、保険契約を変更する消費者が

2倍増加した。人間は生来、「利得と損失にかかる非対称の進化圧」のために、ことさら損失を嫌うようだ。

あなたは失うことを過度に恐れていないだろうか。

お金の決断は、感情ではなく数字にもとづいて下されなければならない。間違った倹約はチャンスを見逃すことにつながる。財布の口を締めているつもりが、積もり積もって大きな損失になることもありうるのだ。

感情をコントロールする方法

感情をコントロールするには、それを否定したり、感じないようにするのではなく、観察し、理解する必要がある。感情にはどんな意義があるのだろうか？　感情を理解し、管理し、コントロールする方法をあげておこう。

1　感情を観察する。別の自分が今の自分を眺めているかのように。その感情から一歩離れ、批判することなく見つめて、こう自分に言ってみるのだ。

「へえ、それはおもしろい反応だな、〇〇くん。きみの考えることには驚くよ！」

2　感情や反応の下には何がある？　それはどこから来たのか？　自分の中の何がその反応を引き起こしている？

3　その感情が消えない理由は何だろう？　何を学んだらそれは消えるだろうか？

4　その感情を通して成長するために必要なフィードバックは何だろう？　その感情をコントロールするには、何を改善すればいいだろうか？

5　その感情はどのように自分の役に立つだろうか？

6　感情に振り回され、ほかの人たちを傷つけないよう、気持ちが鎮まるまで独りになれる場所へ行く。

7　「サンドバッグ」になってくれる友人を持つ。口が堅く、信頼でき、批判しない友人に、「グチをぶちまけてもいいかな？」と尋ねてから、溜まっているものを吐き出そう。すべて口に出せばあとはすっきりする。強い感情を溜め込み、抑圧していると、受動的攻撃行動（訳注：感情をぶつける代わりに否定的な行動・態度で相手を攻撃すること）、感情の爆発、最悪の場合には病気を引き起こす可能性がある。

8　よきアドバイザーとして信頼できる心理カウンセラー、メンターを持つ。

9　性急な、または感情的な決断をする前に「時間を置いて待つ」。

10　自分が抱えている問題に関して、その道のトップにいる専門家の本を読み、講演に参加する。

11　消費や投資を自分自身の価値と見比べる。それが自分の価値を高めるなら、実行する。そうでなければ実行しない。

どれだけ「自己価値」を高められるか

ここまででもご説明してきたが、自分の価値を低く見積もっていれば、資産としての自己価値は永遠に低いままだ。

あなたは慎重な人だろうか、それとも焦っているだろうか？

一時的にお金がないだけか、それともお金がないことに慣れてしまってはいないか？

自分が自分を信じないなら、誰が信じるだろう？

「今持っている力」を信じる

「自己価値」とは、自分にどれだけ満足しているかという内なる感情だ。自分の価値につながる感情の多くは、自分で自分に言い聞かせる「物語」と、どれだけ自分を大切にしているかと結びついている。

自分はまわりから愛される価値がある。豊かさと富を得る価値がある。それは誰だって同じだ。しかし、そもそも、価値のある者と価値のない者を誰が決めるのだろうか？　価値を有する者に〝しるし〟を付与する万能の存在がいて、自分にだけ〝しるし〟を授けなかったというわけではない。

人があなたの価値や値打ちをとやかく言おうと関係ない。彼らはあなたのではなく、自分の価値にもとづいて他人を判断しているだけだ。

過去の過ちはどうでもいい。誰だって間違いを犯すのだから。たとえ、過去に人からひどい目に遭わされたことがあろうと、それによって未来が決まるわけではない。

もし、ひどいことをされたと怒りを感じている相手がいるならば、その相手を許そう。

逆に、自分が誰かに対してしたことで、今も自分に非があったと感じているのなら、その過去を許そう。

はじめは抵抗を感じるかもしれないが、自分の体験するすべての出来事には、いい側面と、悪い側面が、前向きなきっかけとつらい試練が同時に存在するのだ、ということを覚えておいてほしい。

今あるものに感謝し、自分の幸せをひとつひとつあげるのもとてもいい方法だ。

よく言われるように、感謝は感謝を生む。どんなことでもいい、自分が感謝できることを見つけ出し、全部リストアップしてみよう。紙に書き出す、声に出す、視覚化する、どんなやり方でもいい。

私自身は、10年前以上前にナポレオン・ヒルの『思考は現実化する』(きこ書房)を読んでから、毎晩寝る前に自分が感謝していることを、大小合わせて、すべて口に出すようにしている。

感謝の対象が増えるほど、疑念や不安、自分を卑下する気持ちが消えて、自分を無価値だと思うことが減っていく。

それにこれを習慣化すると、よく眠れるようになるのだから、ぜひ試してほしい!

豊かさがやってくるのを、ワクワクして待つ

心理学では、人は明らかに「公正なもの」や自分に「ふさわしいもの」ではなく、自分が「期待するもの」を得るとされる。

富とお金を得ること――それは自分の権利であり、万人の権利である。

ピカソはナプキンの裏にサササッと走り書きした絵を、1万ドル（約100万円）の価値があると言い切った。30秒で描いた絵、そこには画家としての人生40年分、プラス30秒分の価値があると彼は考えたのだ。

今の自分の給料は、自分のこれまでの全努力と価値を反映したものだろうか？

これまで成し遂げたこと、経験したこと、人に対して貢献してきたことなどを、思い出し、自己価値を感じるためにリストアップしてみよう。

自分に欠けているものではなく、自分が持っているものに焦点を当てること。できないことではなく、できることに目を向けよう。

世の中というのは、あなたが自分自身をどう見ているかを映す鏡だ。自分の価値を感じる

ほどにまわりの世界は、ポジティブに変わっていくだろう。高い自尊心を持つ人ほど、鏡に映る自分の姿を恐れることはない。

自己評価を下げてはいけない理由

自己評価は「あなたに対するまわりの評価」と密接な関係がある。

私のメンターのひとりで大富豪のドクター・ジョンは「自分の意思のせいで人を怒らせるか、人の顔を立てて自分の意に反することをするか、どちらかひとつを選ぶなら、つねに前者を選びなさい。まわりにいる人はいずれ去るが、自分自身からは決して離れることができないのだから」と言う。

誰もあなたの許可なしにあなたの価値を下げることはできないし、他人に価値を決めさせてはならない。

彼らはあなたの何を知っているというのか。あなたが今いるところにたどり着き、今の姿になるまで、何を乗り越えてきたかを知らない人たちではないか？

「知識と経験」を、どう身につけるか

知識と経験を完璧に身につけたら、自信がつくだろうと考える人は多い。これはある程度真実だが、だからといって必要なものを全部そろえるまで、自信はつかないと思い込まないでほしい。完璧になるのはあとからでいい。

ビジネスに精通したいなら、自分自身と向き合おう。豊かな富がほしいなら、精神的な富を大切にする。自分が成長したい分野で生涯学び続けようと決める。

優秀な専門家を見つけ、彼らの本を読み、ポッドキャストに登録し、セミナーやイベントがあれば参加し、ユーチューブを視聴し、彼らをメンターとして、彼らに学ぼう。

そして、いったん目標を設定し、自分の心にすり込んだら、あとは結果ばかりを気にするのをやめ、これから始まる長い旅を受け入れることだ。

たとえば起業したばかりの人だとしたら、極端に走らないことが必要だ。なにかを始めるときには、ハングリーさ、モチベーション、頑固さはじつに有用だが、他者から見ればガツガツしすぎて魅力がなくなることを覚えておこう。必然的に、富の流れを妨げる。

過剰なプレッシャーや、特定の結果を出そうと必死になることは、非現実的な期待につながり、反発を引き起こしかねない。

「お金の天井」を押し上げる

お金を稼ぎはじめると、自己価値とは無関係に、必ず天井(=限界)が生まれる。

それは自分が提供するコンサルティングの対価かもしれないし、1時間当たりの料金、月収、年収、自分のつくった作品またはプロジェクトへの報酬、もしくは不労所得をすべて合わせたものかもしれない。

この天井が見えると、それ以上請求することをためらい、自分の価値はこんなものなのではないかと、なかばあきらめてしまう人が多い。心の声が、自分をそのレベルに引き止めるのだ。

しかし、不満を抱えたまま、妥協してはいけない。

自分で自分を評価するほど、世界は自分を評価してくれるようになる。
自分に投資するほど、世界も自分に投資してくれるようになる。

自分に価値があると感じるほど、豊かになれる。

自分の豊かさは、人間関係、思いやり、趣味やスポーツ、専門知識を持つ分野、子どもたち、なんであれ自分が一番大切にしてきたものの中に眠っているかもしれない。

みなさんがまだ経済的に豊かでないのなら、それは眠っている豊かさをお金に換える方法をまだ学んでいないだけだ。

それはミュージシャンであろうと、アーティストであろうと、料理人であろうと、デザイナーであろうと、ドッグトレーナーであろうと変わらない。

彼らにできるなら、必ずあなたにもできる。

富をさまたげる「BCDJ」の法則

これは富とお金を損なう「4つの悪」の頭文字を取ったものだ。

この4つにとらわれると、みずからを決断する側ではなく、人から命じられたことに、甘んじる側におとしめてしまう。勝者ではなく、まさに被害者の思考だ。

金儲けと言い訳は両立できないと肝に銘《めい》じてほしい。

B　批判（Blame）

C　不平不満（Complain）

D　防御（Defend）

J　正当化（Justify）

なぜ、この4つが富の流れをさまたげるのか、それぞれ詳しく見ていくことにしよう。

富の障壁1　批判

政府や制度、銀行、政治家や政策立案者、親、ファイナンシャル・アドバイザー、メディア、顧客やクライアント、買い手に売り手、ついでに金持ちのロクデナシを批判してもいいが、そんなことをしてもなにひとつ変わらない。

どのみちあなたの批判など彼らは歯牙にもかけないだろう。

いや、訂正しよう。批判で変わることが2つある。まわりがあなたを見る目と、あなたが自分を見る目だ。うらみがましい人だと避けられるようになるだろう。

自分に厳しくなれというのではない。ただ、すべてを批判するのはやめにして、自分の人生に起きることで、自分自身にコントロールできることは責任を取ろうと、今ここで決断してほしい。

コントロールできないことに関しては放っておけばいい。

自分でコントロールできることをなおざりにして、自分ではコントロールできないことを批判するのは、時間とエネルギーのムダづかいだ。

富の障壁2　不平不満

なにかを批判するあまり、フラストレーション、怒り、不公平さ、罪悪感、そしてその他の感情のはけ口となるのが不平不満だ。

そこで、それらを聞かされる相手が、こう考えることはあるだろうか？

「あなたのグチって聞いていてとても楽しい！　私の人生の役に立つわ、ありがとう。どうかグチを続けてね」

投資家のティム・フェリスのポッドキャストでは「30日間グチを言わないチャレンジ」というテクニックが紹介されていた。

手首に輪ゴムをつけ、グチを言うたびに手首を輪ゴムでパチンとはじくのだ。グチをこぼしたら、始めから30日をやり直すのもいいだろう。

30日もあれば新たな習慣が身につき、最後は不平不満を並べるクセがなくなっているかもしれない。

これはまわりの世界と人々にも変化をもたらすだけでなく、自分の幸せと健康にもいい影響がある。

富の障壁3　防御

自分の立場と決断を守ろうとする行為はエネルギーを消耗しつくす。

たいてい、こちらを攻撃してくる相手は、どのみち攻撃をやめる気はない。ケンカをしたくて難クセをつけてくる人間もいるのだ、そんな相手をどうやって説得する？　こんなことで時間とエネルギーと熱意をすり減らしてはいけない。自分が抱く展望がグラつくだけだ。

自分と相手、両方の立場にとって公正で納得できる説明ができたら、あとは相手の好きなように言わせ、させればいい。耳を貸し、相手の批判ににっこりと礼を言ったら、それ以上は口をつぐんで先へ進もう。

万が一にも言い返そうなどと思わないこと。節約した時間で、やるべきことはたくさんある。

富の障壁4　正当化

自分の決断や行動を正当化するのは、自分を疑うことと同義だ。防御と同じでエネルギーのムダである。

なぜ人から承認される必要があるのか？　もちろん、自分が誰よりも尊敬し、大切にしている相手なら話は別だが、だいたいケチをつけてくるのは自分にとってどうでもいい相手ではないか？

自分自身や大切な人のため、正しい行動が自分にはわかっている。これが正しいというときには直感でわかるはずだ、だからそれだけ知っていればいい。**そもそも計画中のことや実行中のことは、人に話さないのが鉄則**だ。

それで余計な反発を生み出さずにすむ。先へ進もう。

お金持ちになりたくない人へ

「私はお金などいらない」と思う人は、次のようなことを実践すれば、望みがかなえられる。——そうでない人は、気をつけてほしい。

1　お金を持たない人の話に耳を傾ける
2　ゴシップ新聞、ゴシップサイトを読む
3　ほかの人たちの見解や意見を、自分への個人攻撃だと受け止める
4　大衆（多数派）に同調する
5　言い訳をする
6　自分がすることを恐れる
7　たいして重要でもないケンカを買う

多くの人がこの罠《わな》にハマりがちなのだ。誰もが同じように、罪悪感や羞恥心、不安を抱えている。未知のもの、人からバカにされること、失敗、成功、批判、変化、損失、プレッシャー、または目立つことを恐れている。批判をしてくる人間たちは、他人を攻撃すること

で、彼ら自身の不安に対処しているだけだ。

だから、あなたは自分の不安と向き合い、大切な人たちに、そのはけ口を向けないようにしてほしい。

くり返しになるが、自分がコントロールできることは全面的に責任をとり、外野は放っておけばいい。

第 4 章

最後に笑うために、今できること

お金をつくる「新しいビジネスモデル」

1　金儲けはできそうだが、自分は乗り気でないビジネスモデルがある
2　一方、自分は乗り気だが、金儲けはまるでできないビジネスモデルがある
3　そして、自分が乗り気で、かつ、金儲けもできるビジネスモデルがある

お金を稼ぐ手段を考えるときに、まっさきにスタートするのはこの3つ目からだ。

〝最大の強み〟を見つける「5つの質問」

70冊を超える自己啓発本を著し、アメリカでもっとも有名なモチベーションの専門家であるブライアン・トレーシーは、行動の計画に1分かけることで5分以上の実際の行動（またはムダ働き）が節約できると私に話してくれた。

自分は乗り気でも、お金を生み出さなければ、いずれは先細りし、振り出しに戻る。お金のみを目当てにすると、ビジネスの楽しさはあっというまに消え、試練に耐えられなくなる。ビジネスモデルは自分の役に立つものでなければならず、その逆ではない。

1　自分は何が得意か、または何であれば自分の右に出る者はいないか？

自分の強みは、大金を得る価値がある。お金は稼いでもあっさり失うことがあるが、習得したものは忘れることがない。知識は力なり――どんなにニッチな分野でも、もっとも知識がある者はつねに莫大な報酬を得ることができる。

たとえば、プロボクサーの平均年収は7万5760ドル（約770万円）だ。

もっとも稼ぎの高いプロボクサーで歴代10位に入るミゲール・コットは1試合だけで

800万ドル（約8億円）を獲得した。つまり1試合で平均的なプロボクサーの年収の100倍以上を稼いだのだ。

ちなみに、1試合の最高額はオスカー・デ・ラ・ホーヤの5600万ドル（約56億円）といわれている。これは歴代10位の7倍である。

これは知識ではなく「スキル」や「才能」じゃないか？　と反論されるなら、弁護士の給与を見てみればいい。

2013年の弁護士の平均年収は13万1990ドル（約1320万円）だが、もっとも稼いだ弁護士の10位、アナ・キンコセスの純資産は800万ドル（約8億円）だ。

セレブリティにまつわる情報サイト『ザ・リッチェスト』によると、世界一稼ぐ弁護士の純資産は17億ドル（約1700億円）で、もっとも稼ぐ弁護士10位の212・5倍である。

じっくり時間を投資し、学び、仕事であなたの右に出る者がいなくなればどうなるか、ぜひ考えてみてほしい。

2　これまで情熱をかけてきたことは？

何をするのが好きだろうか？　稼ぎになるかはひとまず置いておき、自分が昔から好きだったことを考えてみよう。幸せなお金持ちに共通するのは、ほかの人たちよりも、ほとんどの時間を好きなことに費やしていることだ。

人は相手の情熱にお金を払う。なぜなら、それが魅力的だからだ。人は理念と生きがいをサポートしたいと考える。なぜなら、それは人の愛をサポートすることだからである。

3　お金が目的でなかったら、自分は何をするだろう？

お金のためでなければ、何をするだろう？

何であれば仕事のように感じないだろうか？

時間が止まってしまったかのように感じるのは、何をしているときだろう？

自分のもっともいいところを引き出すものは何か？

自分が他者に刺激を与えられることはないか？

周囲の人にとって、自分のどういうところが好評だろう？

新たな次のビジネスモデルを始めたり、拡大したりするときには、これらの問いに答えておこう。

4　最大の試練を受け入れたら何が起きる？

職業によっては、試練に耐えるだけでなく、試練を楽しめる人さえいる。プログラマーや科学者は、問題が大きければ大きいほど燃える人たちだ。

最初にぶつかったハードルであきらめることなどない。踏みとどまり、試練に立ち向かう。あなたは試練に耐えられるか？　試練を愛せるか？

5　どんな分野なら、他者へ貢献し、他者の問題解決を楽しめるか？

どんな仕事なら、他者の役に立ち、他者を助けるのを楽しめるだろうか？

自分がやるのは好きでも、ほかの人がやるのを手伝うのは好きではないこと、またその逆もあるだろう。

こういった質問を考えておけば、ビジネス、豊かさ、お金を次のレベルへ導くことができる。

粘るべきとき、あきらめるべきとき

世界の最富裕層1％が持つ資産は110兆円に達する。これは下位半分の資産を合わせた65倍だ。あなたが学ぼうとする「お金の戦略」はどちらだろう？　1％のやり方か、それとも今までどおりのやり方か。

彼ら1％の優れた戦略を手本とし、成功者たちの特性を身につけよう。継続すべきもの、断念すべきものを見極めよう。

前向きに粘り強く努力することが美徳とされる自己啓発の世界では、一般的にあきらめることは「弱さ」と見なされるが、あきらめてはいけないのは、高い価値、高いリターン、または重要性なものが手に入るときのみだ。

じつのところ、価値が低いこと、または時間・お金のリターンが低いことをやっているのであれば、「あきらめる」こともかしこい判断になる。

私は建築学の学位を取得するために何年も粘り続けたが、結局は向いていなかった。自分の直感を信じ、メンツを気にしなければ、2年と11カ月をムダにせずにすんだはずだし、あの歳月を取り戻せるなら、その期間で数億円を稼ぐことができたかもしれない。

スティーブ・ジョブズが「アップル」から追い出され、ふたたび戻ったとき、多くの製品を切り捨て、もっとも価値を生む製品に時間をかけられるようにしたのは有名な話だ。

自分がすべきことを知り、知っていることをやる。

他人の計画に巻き込まれたり、あなたを知りもしない人からの仕事や人生についてのアドバイスに耳を貸したりしてはいけない。歩く屍《しかばね》の集団についていってはならない。

自分のやり方で人生を拓《ひら》き、もっと稼ぎ、もっと成長し、もっと与えることを目指そう。

数百年かけて実証されてきたこと

巨万の富を築いた人々のビジネスモデルに、多くの共通点があることにお気づきだろうか。主な類似点は「ネットワークコンセプト」だ。

今あるネットワークを利用しながら新しいものをつくりだす、あるいは、既成概念を根底からくつがえすような破壊的（ディスラプティブ）なものをつくったりする。

過去200年でもっとも重要な業界の例をここにあげてみよう。

- 鉄道（郵便物、貨客）
- 鉄鋼（鉄道網をつくるために必要だった）
- 電気
- 石油
- 自動車（運輸）
- 航空業（郵便物、乗客）

◎電気通信（ラジオ、テレビ、電話）
◎光ファイバー（シリコンチップ）
◎タールマック（道路の舗装）
◎コンピューター（半導体、マイクロチップ）
◎インターネット（コンピューター、ピアツーピア、eコマース、検索エンジン、ソーシャルメディア、アプリ、ビッグデータ、仮想通貨、VR、人工知能）

大建設ブームやゴールドラッシュがふたたび起きることはないだろうし、油田の多くは掘り尽くされたが、古いコンセプトを刷新したものが、新たなネットワークコンセプトとして登場するかもしれない。

グリーンエネルギーや再生可能エネルギー、宇宙開発や惑星探査、さらにはQE（量子もつれ）を通した情報交換など、既存の価値くつがえす方法は必ず新たに登場する。

収入を増やすモデル、すり減らすモデル

事業を堅固にし、諸経費を抑え、資本留保金（バッファー）と売却可能な価値を上げる方法

は複数ある。

建物を借りる代わりに投資し、リターンを建物のローンにあてる。

バランスシートに大幅な減価償却のない資産を計上する。

資本バッファーを維持するため、事業に留保利益を残す。

知的財産やフランチャイズモデルのように、資本を元手にした付加的な製品／サービスをつくり出す――などということだ。詳しく見ていこう。

不動産

経済誌『フォーブス』によると、成長の速い小規模企業トップテンのうち5つは、不動産、ビルディング、建設業関連だ。これは意外だが、当然でもある。

不動産業は数世紀にわたり資産を増やし続けている。たとえば、イギリスでは、一時的な成長の緩急はあるものの、不動産価格は毎年およそ10％ずつ上昇している。

しかし、先進国の市場が成熟していることを考えると、急成長中のセクターの多くが不動産関連であるのは驚きだ。多くの都市は移民の流入、人口増加、地方自治体や政府による開発不足のため、深刻な住宅不足におちいっている。これは建設と開発部門の成長に拍車をかけ、とりわけロンドンのような大都市では価格上昇の要因となってきた。

とはいえ、本書は不動産の運用の仕方について説明する本ではないので、ここで止めておこう。

しっかり管理してレバレッジをかければ、収入源にひとつ以上の不動産事業があるのは、ビジネスの資本要素をカバーして大きな残余所得を生む。

不動産は清算対象となることが少なく、多くのビジネスモデルよりはるかに有用で、往々にして銀行が融資の担保にする唯一の資産だ。

知的財産（アイデア、特許、使用権、フランチャイズ権、情報、音楽）

知的財産には大きな資本価値がある。音楽のように残余所得を生む資産、収入源つきの使用権、販売され、そして／もしくは使用料が入ってくる特許、さまざまなフォーマットで売られる情報など――。

知的財産の資本要素の権利もしくは所有権は、売却、リース、レンタル、または収入源のための資産として保有できる。

フランチャイズ権は情報、システム、マニュアルなどの最初の資本を活用し、全国的・世界的に事業拡大することができる。

「マクドナルド」は世界中で3万6525店舗を展開し、42万人が働いている。これらのフランチャイズ権は高額で販売され、知的財産の権利と所有権は維持された上で、利益の一部が収入として入ってくる。

音楽アルバム、楽曲、書籍、ゲーム、オンライン講座やその他の形の知的財産は、一度つくられたあとは、何年、何十年にもわたって、数百、数千、数百万回売り続けることができる。

これらの知的財産は、オンライン、アプリ、ライブイベント、研修会、限定版、そしてさらに多くのフォーマットに適応させて、収入源を増やすことが可能だ。

また、商品化、スポンサー契約、広告の形で知的財産のブランド価値を高めることもできるだろう。自分が持っているビジネスで、知的財産をつくり出す方法はないだろうか？

投資（株式、債券など）

ウォーレン・バフェットは、自身が率いる会社「バークシャー・ハサウェイ」を通し、自分と外部投資家のために投資を行うのがビジネスだ。

独立系ファイナンシャル・アドバイザー（ＩＦＡ）は投資のアドバイスを与えるかわりに、対価を得ている。株式市場、貴金属、美術品、再生可能エネルギー、グリーンエネルギー、そしてさらに多くの分野で投資は行われている。

これをビジネスにするのは万人向けではないものの、ウォーレン・バフェットは投資で世界有数の富豪になった。性に合っていれば、あなたにも可能性はある。

お金を貸す

大金を持ったら、次はそれを貸すようになるのが自然の流れだ。

銀行はその最たる例だ。中央銀行も同じく。お金はお金を引き寄せるが、貯め込んでいては増えない。長い歳月をかけて貸金業者は巨大な富を築くにいたった。

一部の社会では金貸しは地位が低く見られていたり、一部の宗教は、お金を貸して利息を取るのを禁じていたりするものだが、それを承知の上で価値あるビジネスと見なすなら、一考の余地が大いにある。

融資により経済はさらに拡大するものだし、発展途上国では小口融資（マイクロファイナンス）が経済に弾みをつけている。
リスクは無論ある。だがそれはどんなビジネスモデルでも同じだ。富を築き、収入源が増えたら、あなたもどこかの時点で人にお金を貸すことを考えてみてほしい。

現物資産（貴金属、美術品、腕時計、ワイン、クラシックカーなど）

現物資産とそれにまつわるビジネスモデルは、資本価値が保持される。ほかのビジネスで資本価値が下がっているときに、現物資産は価値が上昇したままということもある。

たとえば、ポルシェのクラシックモデルの多くは近年、価格が急上昇している。

価格が安定して上昇しているときには、美術品ディーラーは美術品を、腕時計ディーラーは腕時計を買うものだ。ただ、極端な資本集約はそれじたいが問題を生み出しかねないため、資本と収益のバランスを図るのが賢明である。

「成功の芽」は、どこに存在するか

人が人であるかぎり、常に人間の根源的なニーズがあり、それはいかなる変化やテクノロジーも超越する。

心理学者アブラハム・マズローが提唱した欲求階層説によると、人間には5段階の欲求があり、1～4の4階層の欲求をひとつずつ満たすことで5番目の段階に到達する。

下位の欲求が満たされるようになると、自己実現欲求、または自己達成欲求として知られる5番目の段階が重要視されるようになった。

1　生理的欲求（食べ物、水、快適さ、休息）

↓

2　安全欲求（セキュリティ、安全）

↓

3　所属と愛の欲求（親密な人間関係、友人）

↓

4　承認欲求（人からの敬意、達成）

↓

5　自己実現欲求（可能性、創造性の探求）

これらを満たすビジネスモデルは必ず規模が拡大するだろう。基本的な生理的欲求を満たすのに役立つビジネスモデルは成長・維持が見込めるが、市場が成熟し、競争が激しいため、参入しづらい。

「ウォルマート」は食料販売からスタートし、今では従業員数210万人で働く人の多さでは世界第3位だ。ちなみに1位と2位は公的機関で、うちひとつのアメリカ国防総省は2段階目の安全欲求を満たしている。

安全欲求が満たされなければ、人間のもっとも基本的なニーズが脅かされるといえるだろう。保険業界が大きな産業であるのは、セキュリティと安全のニーズに応えるからだ。

欲求の段階を上がるにつれ、問題解決のレベルも上がる。パートナー探しのマッチングアプリ、ウェディングプランナー、ソーシャルメディアコミュニティが存在し、事業を拡大しているのは、人間が「愛情、所属、友人」を求める生き物であるためだ。ニュースサイト『ハフポスト』によると、マッチングアプリは22億ドル（約2200億円）規模の産業だ。「ティンダー」のように新しいツールが登場し、瞬く間に規模を拡大することもある。

マズローの欲求階層の4番目と5番目は「承認と自己実現」だ。

人間は自分が重要と見られ、信用されるために大金を払う。見た目を変え、欠点を隠し、他者から受け入れられて地位を上げるために、莫大な金を出す。

証拠となる事例は枚挙にいとまがない。美容整形に、特別会員向けのファストパス、ファーストクラスでの旅行、5万ポンド（約700万円）の腕時計、ダイヤモンド、盛大な結婚式、ハンドバッグに入る超小型犬まで、ありとあらゆる形がある。

また、健康増進、長生き、幸福、穏やかな暮らし、自由、時間の節約、生活バランス、自信向上といった分野にもビジネスチャンスはある。

あるいは、どうしても欠くことのできない嗜好品はどうだろう。タバコ、コーヒー、砂糖、薬剤、さらには犯罪であるにもかかわらず、違法薬物のビジネスモデルが、闇社会で成功しているのはこのためだ（違法薬物を売るようすすめているわけではないことをご留意いただきたい。これは、単なる例示である）。

エンターテインメント

数百年も昔から人々は、エンターテインメントと娯楽にお金を払ってきた。

中世やルネサンス期の宮廷道化師は、貴族や君主に雇われ、しばしば住み込みで君主とその客を楽しませてきたことを考えるといい。

カスタマーベース企業としてアメリカで7番目に大きい「任天堂」は、Wii《ウィー》ひとつで3940万人の顧客を持つ。「マイクロソフト」のXboxは3380万台を、ソニーのPlayStation 3は2100万台を売り上げている。

こういった製品はファミリー層に受け入れられ、どの世代にもシェアを伸ばしてきた。

また、2016年の『フォーブス』誌によると、「レゴ」は世界でもっとも価値の高いブランドの68位に入り、ブランド価値は71億ドル(約7100億円)にのぼる。「ディズニー」は同誌の「世界の大企業」リストの72位で、時価総額1693億ドル(約17兆円)だ。すべて、実用性もなければ、必要不可欠でもないサービスや製品に支払われた代価である。

事業拡大型のビジネス

当然ながら、事業は拡大できなければ稼げる額に限界がある。ネットワークコンセプトを活用すれば、拡大しやすいため、事業をはじめるには最適だ。

メッセージアプリを提供する「ワッツアップ」は巨大なユーザー基盤を築いて5年で190億ドル（約2兆円）を売り上げたが、伝書鳩ではこうはいかなかっただろう。

全情報の98％はいまやデジタルだ。

毎分、2億4000万のメールが送信され（40億人がEメールを利用）、4万7000個のアプリがダウンロードされ、8万3000ドル（約830万円）の売上げが計上され、6万1141時間分のオーディオがダウンロードされ、3000枚の写真が投稿され、2000万枚の写真が閲覧され、新たなツイートが10万件つぶやかれ（人口の79％がソーシャルメディアを利用）、「ウィキペディア」に新たな記事が10件増え、「フェイスブック」で600万ページが閲覧され、グーグル検索が200万回され、30時間分の動画が投稿され、130万本の動画が視聴されている。


情報を販売するビジネスモデルはどれも事業拡大に向いているし、しかも諸経費が非常に低い。

「インフォメーションマーケティング」――つまり情報の販売は、世界中で1000億ドル（約10兆円）を超える価値のある現代産業で、成長率は前年比で32・7％だ。

過去20年で、デジタルメディアの売上高は急速に伸びている。オーディオブック配信サービス「オーディブル」が抱えるタイトルの「在庫数」は40万を超える。

「iTunes」は2013年に250億曲以上を売り上げた。

「アップル」はポッドキャスト・エピソードのダウンロード数を公表していないが、ポッドキャストの配信会社「リブシン」1社で2012年に30億回のダウンロードを記録している。ポッドキャストは成長市場だ。

情報源によってばらつきはあるものの、アメリカでは少なくとも80％がメールを利用しているのに対して、現在はポッドキャストの利用者は16～20％に留まっている。

それでも、私が運営しているポッドキャストはデータのダウンロード量が毎月2・5テラバイトにのぼる。これは映画なら高画質で300タイトル、楽曲なら80万曲に相当する。私のおしゃべりだけでそこまでのデータ量になるとは誰が想像しただろう？

オンラインセミナーやコースを世界中に提供するプラットフォームはいくつもある。ほぼ固定費用がゼロで、コストがかかるのはコンテンツの作成部分だけだ。自宅のスタジオからオリジナル音楽を売ることができる。ツイートさえも売れるのだ。

オンライン上にただ同然で「出店」し、「ペイパル」のようなサービスを利用して決済するようにすれば、すぐにビジネスをスタートすることが可能なのだから利用しない手はないだろう。

「パートナーシップ」と「ジョイントベンチャー」

パートナーシップ、ジョイントベンチャーは、ビジネスモデルを成長させ、ときにブランド力を高めることができる。

「ソニー」と「エリクソン」、「ヴァージン」と「MBNA」銀行、ジーンズブランドの「リーバイス」とSNSの「ピンタレスト」、「ナイキ」とバスケットボール選手のマイケル・ジョーダンなどが、その端的な過去の例である。

スポンサーシップと自社製品の独占利用契約（エンドースメント）は一種のジョイントベンチャーで、前者では企業がイベントなどを支援する見返りに企業名を宣伝し、後者では著名人が企業から報酬を得る代わりに、その企業の製品を使用する。

「一番乗り」のワナ

社会を変え、進歩させるビジネスモデルは注意すべき点がある。破壊的すぎたり、時代を先取りしすぎたりするのだ。

「SixDegrees.com」は1997年に誕生したSNSの走りだったが、サービス開始時に急成長し、その後ふっつりと消えた。時宜《じぎ》を得ていたら、もっと後発の「フェイスブック」ではなく「SixDegrees.com」が世界的なSNSになっていたのだろうか？

検索エンジン「アスク・ジーヴス」は、登場が数年早すぎ、「グーグル」がここまで巨大化する足がかりにさえなってしまった。

既存のものを、どうすれば改善できるだろうか？

1970年代末、「ゼロックス」はコンピューター操作用のマウスを開発したが、スティーブ・ジョブズは自分が製作したパソコンにその採用を見合わせた。そしてマウスをみずから改良して、取り入れたのだ。

タッチスクリーン技術を携帯電話に採用したのは「アップル」がはじめてではない。台湾の携帯電話メーカー「HTC」がすでに使用していたが、この機種のトグルスイッチ（レバーを押すタイプのスイッチ）をジョブズは嫌っており、彼が使い勝手をシンプルに改善した。

音楽も、既存のジャンルが新たなジャンルを生み出し、ジャンルを混ぜ合わせ、革新することで進化していく。ロックバンド「レイジ・アゲインスト・ザ・マシーン」は、ロックとメタル、ラップを融合させて音楽シーンを変えた。ヒップホップは、もともとボクサーのモハメド・アリが対戦相手を挑発するときのリズミカルで詩的な言い回しから誕生したといわれている。

「ヴァージン」グループのリチャード・ブランソンは、停滞した産業や、寡占《かせん》産業を見つけるや、サービスを改善すべく、新規参入することで知られている。

実は、不景気だから強い分野

景気後退時には生活必需品ではないものや高級品の小売店は苦戦するが、たとえば金製品の買取店があちこちにオープンしたりする。

2007年に始まった世界金融危機後にはディスカウントストアが急成長した。タバコ、アルコール、ギャンブルなどの「後ろめたい嗜好品産業」は、不景気でも持ちこたえるとよくいわれる。チョコレートも売上げが伸びる。

「不景気に強い」ビジネスモデルは確かに存在する。

金融調査ウェブサイト『インサイドモンキー』の記事によると、前述のモデルに加えて、タトゥーアーティスト、ファストフード店、菓子店、ペットサロンなどは不景気の影響を受けづらく、ほかにもヘルスケア、オンラインセキュリティ、マッチングアプリ、修理、葬儀、教育関連の業界は不況に強いといわれている。

裁定取引（アービトラージ）――中央銀行を崩壊させる力《パワー》

1992年9月、ジョージ・ソロスは100億ドル（約1兆円）相当のポンドを空売りし、1日で10億ドル（約1000億円）を儲けた。ポンドの価値は10％下落し、ソロスは「イングランド銀行を潰した男」の異名を取った。

取引の発想はシンプルだ。通貨価格が高いうちはポンドを売り、価格が下がったら買い戻す。金融では「空売り」として知られ、株価の下落を見込んで用いられる投資方法だ。

2016年、国民投票で欧州離脱決定後、ポンドが急落し、通貨と商品で「裁定取引（アービトラージ）」する機会が生じた。

裁定取引とは、証券、通貨、物品（コモディティ）を別々の市場や金融派生商品（デリバティブ）の形で同時に売り買いし、価格差を利用して利益を得るやり方である。

私は投資について具体的な指示やアドバイスを与えるつもりはないが、みなさんには景気変動に強いビジネスモデルを知識として持っておいていただき、世界の金融市場で何が行われているかという事実をいつか役立ててほしいのだ。

また、2016年、腕時計の価格が高騰したとき、米ドルに対してポンド安だったため、イギリスと比べてアメリカでは腕時計の価格はさらに上昇した。

特に金製腕時計はうなぎのぼりだった。腕時計にはキャピタルゲイン税がかからず、輸入税に注意すれば、通貨間で大儲けできるチャンスとなったわけだ。ポンドの異常な安値が、めったに見られることのない空売りの機会を提供した。

ところで、みなさんからよく「どんな資産を、純資産とそれぞれ、どういう割合で持てばいいですか？」と聞かれるが、答えは社会情勢、景気、機会、金利、インフレなどによって左右される。金利が極端に低ければ、キャッシュ（現金）をたくさん保持する意味はない。金利が高いと、話は違う。

金利が高いときは、借りる金額を減らすか、レバレッジを減らす。

通貨が極端に安いときは、現物資産を増やす。

高い価格が長期間続いたら資産の一部を売り払う、価格が低ければ、あるいは、そのクラスが底値を打ったら買いに出る。

いつどんな状況になるかは予見できないが、**一度に全額を投資するのではなく、少しずつ時間をずらし、定額に分割しながら投資する「ドル・コスト平均法」でリスクを減らす**ことができる。

機会はつねにある。多くの人は景気がいいときにしかチャンスは存在しないと考えるが、不況時にはもっと大きなチャンスがあるかもしれない。競争も少ないし、お金の流通速度が一気に変化する中で、潮流に逆らい投資するのだから。

「マイクロソフト」は不況の最中に創業した(1975年)。

2007年の世界同時不況の際には、われわれの競争相手の多くが倒産したが、われわれが創業した会社は生き残り、ほぼ不戦勝で不動産業界において有数の企業にのし上がることができた。好況時に創業していたら、自分たちより100倍くらい大きなライバル会社につぶされていたことだろう。

(レバレッジされた)収入源を複数持つ

平均的な億万長者は収入源を3つ持っている。

多くの企業はそれよりさらに多い。

アップルは「iPhone」「iPad」「Mac」「iTunes」「Apple TV」「App Store」「iCloud」などである。

お金持ちはひとつの大きな収入源があっても、資産を守るため、ビジネスモデルを多角化する。不動産、株式、他社株の取得、知識を活かした講演業や情報商品などへ、利益の再投資をしているのだ。

しかし、収入源を同時に5つつくろうとすれば、自分の手に負えず、どれにも集中できなくなる。あくまで主要なひとつを中心とし、少なめの時間を補足的な収入源に割くのがかしこいやり方だ。

私は**「70－20－10」のモデル**をおすすめしている。

メインの収入源に70％の時間と資源を、2次的な収入源に20％の時間と資源を、3次的または未来の収入源に10％の時間と資源を投入する。

主となる70％の収入源を拡大し、システムとして整備し、管理を人に任せたら、それまで20％だった分野を新たに70％へ引き上げ、10％だった分野を20％にし、10％の労力で新たな収入源を探す。

このプロセスをくり返して、合計5つの収入源に増やしていくのだ。

ロックバンドは一度に5枚のアルバムをつくったりしない。彼らが一度に1枚ずつ出して曲目を増やし、ツアーを行い、グッズを商品化するように、少しずつ拡張していこう。

クロスストリーム・レバレッジ――可能性を拡張する

既存の収入源を活用することで、複数の収入源を素早く築くことができる。

いくつかの不動産があり、管理は不動産業者にすべて任せているなら、賃貸住宅仲介業を立ちあげることで「収入源を掛け合わせた（クロスストリーム）レバレッジ」ができあがる。

すでにある資産、知識、経験、人脈などを活用し、1からスタートするよりもスピーディに収入源をつくることができるのだ。

宿泊予約サイト「Airbnb（エアビーアンドビー）」は、宿泊の仲介だけでなく、コンシェルジュサービスや、タクシーの手配、宿泊先の冷蔵庫への食料補充といったサービスの開始、さらには高級宿泊施設専用のサービス、ほかにもシェアハウスの販売にまで乗り出すと噂されている。

未来を予見するビジネス

未来のことを考えると、バーチャル・リアリティ（VR）で物件の内見、休暇旅行、ソーシャルメディア、パートナー探しのサービスなどが、より洗練され、より実体験に近い形で経験できるようになるかもしれない。

オンライン通貨はすでに存在するし、VR機器を装着すればどんな世界にも入り込むことができる。いずれ映画『マトリックス』が現実になるかもしれないのでは？　そこにはスポンサーシップやマーケティングのチャンスがあるだろう。

「iPhone」がつくり出したレバレッジをすべて考えてみるといい。

音楽、「iTunes」「Apple Pay」、アプリ、GPSに地図、データ共有、フィットネス、さらに自身の健康増進のために最先端科学を利用する「バイオハッキング（生体改善）」にまで水門を開いた。

今すぐビジネスモデル化できるわけではないが、こういったテクノロジーを導入してビジネスに革新をもたらす方法を考えられないだろうか？

自分の限界を突破する「資金調達法」

会社のために資金を調達するということは、会社の半分を売りに出すということだ。安値で取引きしないように、慎重に考えてみよう。

お金には自分が払う利子を超えるコストがつねに付随するが、アイデアは収入をつくり出す。だから、資本調達の方法と同時に、アイデアを活用する方法を探そう。

まずは何のために資金を調達したいのか明確にしておくことだ。

- 自力でできるよりも早く成長するため
- 自力ではできない製品開発のため

- 経験豊富な投資家を取締役に迎えるため
- 不動産やその他の資産に、自力ではできない投資をするため
- 苦境から脱出するため

これらのひとつ以上が解決できるなら、これから紹介するような資金調達法がある。もっとも担保が少なく、すみやかに資金が調達できるものからあげていく。

資金調達には代価がつきものであるため、自分がどんな代価を払うつもりかは明確にしておこう。じつは、資金の調達には誰もが苦労している。

家族からの贈与

イギリスでは亡くなる8年以上前であれば、両親からの生前贈与は全額非課税になる（訳注：日本では年齢制限なく年間110万円までの贈与なら非課税）。親から遺産を相続するなら、あらかじめ家族と計画を立てておきたい。事業を提案するほうが、ただ遺産を要求するよりも心理的な抵抗が少なく、受け入れてもらえるかもしれない。専門家にアドバイスを求めよう。

友人・家族からの融資

彼らはプロの貸金業者やパートナーではないし、お金を貸した経験すら皆無かもしれない。よいところは、銀行よりも低い金利で借りられることだ(友人との仲が良好なかぎりは!)。相手を説得し、投資のしくみを説明する必要もあるだろう。

信頼関係は必須だが、事業がうまくいかなかったときには失うものも大きいので要注意。資金調達の手始め、または急場の埋め合わせには適しているものの、大きなプロジェクト向きではない。

銀行からの個人ローン

銀行からの信用が高い人にかぎり、スピーディに融資を受けられるだろう。金利が低いときには有用性が高い。少額ならすばやく資金調達できるが、高額・長期になると高くつく。複数の融資を組める人もいるだろうが、資金が必要だからと、高すぎる金利に応じないようにしてほしい。昨今ではネット上で申し込むとその場で融資を受けられるサービスもあるため、一度に複数申請する人がいるが、慎重にいきたいものだ。

持っている資本を組み換える

担保としてつかえる不動産その他の資産があるなら、資金を再編成し、そこから引き出した正味資産を投資に回すことが可能だ。

金利が低いときは、モーゲージ（訳注：おもに不動産を抵当にした貸付金を意味する）のような長期融資の費用もずいぶん低くなるから、お金をつくり出し、それを活用してほかの資産や事業を育てるのはいい方法である。

多くの場合、不動産に固定されている資金は活用されておらず、もっと有効につかうことができる。ひとつの不動産を保持したまま、そのエクイティを3〜5つの投資用不動産に変えることも可能だ。

ビジネスローンを利用できており、すでにポートフォリオがあるなら、再編成でかなりの利子が節約できる。複数の資産からの浮動担保（フローティング・チャージ）で、それらの資産を借り換えせずとも資金の調達ができるようになる。

自社株を売る

自社の株や正味資産を売ることで、新製品、研究・開発、人材、マーケティング、さらに多くのことに投資する資金が調達できるし、自分も利益を保持できる。買い手をつけるには、一定期間利益を上げてみせるか、ビジョンを売る力を磨くべきだ。

投資を受けたあと、短期的には払うべき利子も与えるべき担保もなく、安く、または、タダで資金が手に入ったように感じるだろうが、それでも会社の支配権と利益を少しずつ他人に譲り渡していることにほかならない。

経験と人脈のある裕福な資金援助者（エンジェル投資家）を見つけることができれば、取り引きをするだけの価値はあるだろう。

個人投資家またはエンジェルからの融資

個人融資は、友人や家族と、銀行の中間的な存在で、裕福な投資家（エンジェル）、厳格な投資家（ドラゴン）、貪欲な投資家（ハゲタカ）までさまざまな人がいる。

金融機関に所属していない個人投資家は、融資契約ひとつでお金を貸すことも、エクイティの購入も、ジョイントベンチャーを行うこともできる。ビジネスでつながりのある相手は将来誰でも個人投資家になってくれる可能性があるのだから、会う人すべて、いずれ手を組むかもしれない相手として、ていねいに接すること。

つなぎ融資

プロジェクトがあと一歩のところで資金不足になった、大至急お金がいる、そんなときにはつなぎ融資ならすぐに資金が手に入るが、非常に金利が高い。

それでピンチを乗り越えることができたり、ほかの融資方法と組み合わせられたりするなら有用といえるが、月々の金利が2、3％以上になる場合が多く、借りるのはごく短期にすべきだ。

クラウドファンディング

融資型クラウドファンディングサイトを利用し、個人融資を受けることができる。

たいていは担保なしで少額を借り入れられる。申請プロセスはごく簡単だ。不動産融資に特化したプラットフォームなど、ニッチなものも登場している。

クラウドファンディングのしくみはさまざま登場しており、たとえば「キックスターター」は、おもしろいプラットフォームだ。

プロジェクトの制作者は資金目標と調達期日を設定し、期日までに目標金額を募ることができなかったら融資は受けられない。バッカーと呼ばれる支援者は世界中のどこからでも資金を提供することができ、これまでに25万7000種類のプロジェクトに、940万人のバッカーが19億ドル(約1900億円)以上を出資したと伝えられている。

プロジェクトを支援してくれる人々は「支援の約束」と引き換えに、お金やエクィティではなく、ほかでは得られない商品や体験を受け取る。

ジョイントベンチャー

ジョイントベンチャーでは、一方が事業や資産の運営、調達業務、管理・維持を行い、もう一方が投資をすることもある。また、パートナーシップを結んだり、ともにビジネスに乗り出したりして、役割と責任を分け、両者とも事業や投資に取り組むこともある。金融投資は50／50か、合意による持ち株率によって分けることになるだろう。私が組んでいるパートナーシップでは、50／50で私が株の半分を所持、50／25／25で25％、または33・3／33・3／33・3で3分の1を所持する場合もある。

役割と株式の配分、誰がどれだけお金を出すかは柔軟に決めることができる。事業の全基盤をカバーするため、互いに補完し合うような異なるスキルを持つ株主、またはパートナーがいいだろう。

実際、いかにお金があっても、どこかの時点で資金切れになることはあるため、ジョイントベンチャーは事業と資産を効率的に成長させる優れた方法である。

クレジットカード

スピーディに資金が調達できるが、利息が高い。

無利息期間のあるものを複数利用し、借りては返済にあてる強者もいるが、返済が遅れると利子が積み重なる。何枚かの借入限度額を合わせればかなりの金額になるものの、個人投資か緊急時の最後の手段とし、すみやかに完済するよう気をつけよう。

稼ぎのいい人の多くは利用限度額をどんどん引き上げて新たなカードに切り替える。これはカードをつかうためだけではなく、バックアッププランの確保とポイント目当てだ。

2015年、とある中国人のビリオネアは1億7000万ドル（約170億円）の絵画をクレジットカードで購入し、ポイントで航空運賃をまかなっている。

不要品をまとめて売る

ほかがすべてだめなら、物置、倉庫、ワードローブを掘り返し、売り払えるだけ売り払ってしまおう。冗談のように聞こえるかもしれないが、私は当時婚約中だった今の妻が、処分したがった電子ドラムセットとオーディオ機器、電子機器を売却し、小さな投資用物件の頭金をつくった。

少なくとも、モノを減らせば、入ってくるもののためのスペースをつくれる（61ページの「真空の法則」）。私はそれで仕事に弾みがついた。

チリも積もれば山となるだ。不用品はできるだけ処分してお金を活用しよう。

パイプラインの構築

障壁とコストを最小限に抑えて、優れた人脈を得る、資本を調達する、ジョイントベンチャーを管理する戦略的な方法をここに紹介しよう。

1 お金が必要になってから人を探さない

現金が必要になると、焦りが態度に出やすい。焦っている者への融資など誰もしたがらないし、ともに働くのも嫌がられるものだ。

人はあなたのために融資をし、ジョイントベンチャーを組むわけではない。自身の動機があるからそうするのだ。

長期的な視野を持ち、いざというときにはすでに人間関係が確立しているようにしよう。自分の仕事に強みをつくり、学び続け、成長し続け、人のために働こう。誰もが未来の可能性であるのを忘れず、ていねいに接して、扉を開けておく。

2 必死に売り込まない

間接的・直接的に他者のために貢献すること。

ビジネスイベントはいい機会になる。週に一度、ビジネスイベントに参加するだけでも1年で52回だ。自分の知識を人とシェアし、人の役に立とう。

遠くからあなたを見ている人たちは、あなたとはじめて会ったときから判断を下しており、いざ現金が必要なときに自分を売り込んでも遅いのである。

3 全員をフォローアップする

人と出会ったら、気づいた点・好感を持った点をメモする。全員と連絡を取り合い（フォローアップ）、次の「4」に進む。

4 3～10回の「タッチポイント」

多くの人はあなたと5回ほど会ったところで、一緒に働くことを考えに入れるようになる。5回未満はまれで、7～10回はかかるのが大半だ。これは私が数千人を対象にして調査した結果だ。

「融資の依頼」や事業について話をするタイミングは、適切な時期を見計らうこと。どんな事業で、どんな事業ではないのかを明確にし、相手にしっかり伝えておこう。最初はビジネスにつながらなくとも、いつか思い出してもらえるかもしれない。

5　「アンビバート」になる

アンビバートとは人間の気質を表す言葉。「内向的（イントロバート）」と「外向的（エクストロバート）」の中間で「両向型」と呼ばれる。どちらか一方を選ぶなら外交的なほうがいいが、いちばんバランスがいいのはアンビバートだ。人を助け、人と共有し、学び、（比較的）謙虚でいよう。人に好印象を与えること。

6　相手の価値観を探る

「エレベーターピッチ」（訳注：エレベーターに乗っているあいだにできるくらいの、短いプレゼン）を心がけること。

短く、親しみやすく、明るく説得力があり、相手の利益をけっして見失わないこと。相手の価値観を知り、相手の心をくすぐる。話を終えたときには、相手があなたからなにかを学び、あなたより多くを得ているようにする。

7 合意

関係を築き、ジョイントベンチャーの詳細に入る頃合いになったら、基本合意書（拘束力のない合意書で、暫定的パートナーシップその他の合意に関する主要条件が記載されている）を作成する。少なくとも役割、利益配分、責任について明確にしておこう。

法的な取り決めを必ず結び、法的代理人を立てること。合意書を作成することで、双方の利権が守られるだけでなく、役割、マネーフロー、担保に関して必要な詳細を検討・交渉し、難点を前もって洗い出すことで、のちのビジネスがスムーズになる。

計画の立て方に、その人の手腕がはっきり表れる

メディアには節約に関する番組や方法があふれているが、資産の管理と増やし方に関する情報を目にする機会は非常に少ない。

品物をどれだけ安く買えたかは嬉々として話すのに、いくら稼いでいるかを話すのはタブー視される。すでに持っているものを管理することを学ばないかぎり、さらに稼ぐことはできないのだが、多くの人にとってますますお金を管理することは難しくなっている。

それというのも、現金に触れる機会が減ったからだ。

昔は現金の入った給料袋を持ち帰っていた。働いた分のお金を手に取り、数えることがで

きたが、こんにちでは、給料は銀行口座に直接振り込まれ、税金や健康保険料は天引きされ、その他の支払いもどんどん自動的に引き落とされて、手に取ることのできる分はたいして残らない。簡単に手に入るものは簡単に出ていく。苦労して稼ぎ、手に触れることのできるお金のほうが、ありがたみがあるのに——。

これを改め、新たな見方とお金の管理方法を学んでいく必要がある。さっそく始めていこう。

銀行での苦い思い出

自分のお金を管理する責任があるのは自分だけだ。親でも、後見人でも、「独立系ファイナンシャル・アドバイザー（ＩＦＡ）」でも、資産管理人でも、代理人でもなく、自分だ。

その昔、著者の私が銀行へ行ったときのこと。建物は改装されたばかりで、アドバイザーと話のできる個人相談ブースが新しく設置されていた。

簡単な用があって銀行へ行っただけだが、個人相談ブースでよければ先に案内できると言われた。当時の私はまだミリオネアとまではいかないものの、仕事は順調で、口座にはかなりの資金が入っていた。

アドバイザーは20歳《はたち》そこそこの新入社員らしく、ぶかぶかのスーツを着ており、名札が曲がっていた。口座番号を入力して私の口座情報にアクセスすると、明らかに彼の顔色が変わった。見るからに興奮して、「お客さまの資産を運用するいい方法がございますから、ぜひお話をさせてください」と、お決まりのセールストークをはじめた。

おそらく当時の彼の年収は1万5000ポンド（約220万円）ほどだろう。私はていねいに断り、食いさがる彼を再度、丁重に退けた。

銀行をあとにして、その出来事を思い出して、腹立たしさを覚えた。

銀行員の彼はなにも悪いことはしていない。銀行員として働きはじめたばかりで、客に商品を売り込むのが彼の仕事だ。だが、経験が浅く、お金を運用したこともない人に、顧客のお金の管理をさせるのは大きな過ちで、はなはだ危険でもある。

私はそのとき、自分のお金は100％自分で管理しなければならないと強く思った。

なにも金融商品は詐欺やペテンだというのではない。商品を売る権利は誰にでもある。しかし、人生でもっとも重要な資産を、他人任せにしてはいけない。みずから管理し、守り、学び続けてほしいのだ。

まさか、子育てをアウトソースして、人任せにすることはないはずだ。たとえ忙しいあまり、ときどきはそうしたくなるときがあったとしても、わが子は自分の手で育てたいと思うのが自然だろう。


私の友人は元本に大損失をこうむり、「私のお金が全部なくなったっていうんですか⁉」と投資アドバイザーに食ってかかった。

相手はこともあろうに、「まさか、そんなことはございません。今は、ほかの方のものになっただけです！」と返してきたそうだ。

どんなファイナンシャル・アドバイザーも、投資顧問も、代理人もあなた以上にあなたのお金を大事にすることはない。あなたが自分の資産をどう思っているかはこれっぽっちも気にかけないのだ。

1日から一生まで——予算の組み方

自分の資産に対して全責任を負う覚悟ができたら、短期計画と長期計画の両方を持つのがかしこいやり方だ。

借金返済と1日の予算から始め、週間、月間計画、半年、1年、3年、5年、10年、十分な人生が残っていれば50年計画まで立てよう。

そのあとは一生の先の先まで見越して計画を立ててほしい。

長い時間軸でものを考えられる人だけが、世界を変え、世の中に変化を生み、大きな富をつくり出すことができる。

借金がある人は、今後はけっして稼ぐ以上につかってはならない。毎月銀行口座から自動で引き落とされるよう設定して、入金があったその日に返済できる最大限を払ってしまい、消費の誘惑を回避しよう。

まずは金利が高くてもっとも金のかかる借金を片づけ、支払う利子の金額を減らすことだ。金利を下げられるなら、借金を一本化しよう。

完済する目標期日を設定し、できるかぎり早くに返済する。半年ごとの出費を見直し、支出と口座引き落としを調整すること。融資先を変え、あらゆる損失を切り捨てよう。

1日の予算

借金がある人は返済を急ぐ一方で、貯蓄、投資、投機に回す分が残るよう、1日の予算を立て、やりくりを身につけることだ。

昼食を弁当にすれば生涯で11万2000ドル(約1200万円)の節約になる。

少額を管理すれば、大きな額は自然と管理できるようになるものだが、この基礎が身につくまで、あなたが大金を稼げるようになることはない。

不必要な支出を減らして貯蓄を始めること――これは「富の基本」だ。

出費を予算以下で抑え、週に一度はゆとりをもって出費できるようにしよう。経済的に豊かになっても、一部の分野では節約を心がけ、支出をコントロールし続けることだ。

週間、月間計画

1日の予算をきちんと管理できるようになれば、長期的な視野を持てるようになる。

週間と月間計画を立て始めよう。両方立ててもいいし、週給か月給かによって、どちらか片方でもいいだろう。

毎月、給料日の直後に、決まった額が貯蓄用口座に振り込まれるようにする。

自動引き落としの一部と、個人的な諸経費を減らすことはできないだろうか。

必要なら、副収入源をつくるのもよい。

1年計画と3年計画

収益の増加を前もって見積もっておくこと。

半年から1年ごとに貯蓄用口座への振込額を把握しておくこと。

売上げの目標額を設定する。個人的諸経費は現状維持か、上昇してもごくわずかになるようにし、収益の上昇分を下回らせるようにする。さらに、収入に対する諸経費を、一定のパーセンテージ以上にならないよう抑える。

売り上げは右肩上がりにするのが目標だ。目標額を投資に振り向け、自分にとって意義のある慈善事業への寄付を開始する。子どもの学費、別荘、その他の個人的資産と目標のため、まとまった額の貯金を開始してもいい時期だ。

5年計画と10年計画

会社を大きくすること、莫大な富を築くためのビジョンを描いていこう。

今の規模しだいでは前年比で100～200％の成長を目標にできるだろう。

事業とキャリアの初期には比較的容易に急成長できるものだ。前年比50％の成長を10年以上継続できたら「マイクロソフト」と同レベルになる。つまり、非常にうまくやっているということだ。野心的な計画と目標を立て、新しい分野へ進出することもできる。

このフェーズでは、私的年金の積み立て、必要であれば子どもたちへの遺産の積み立て、まだ生まれていなくても子どもの学費の計画を立てよう。

50年計画と未来計画

この規模のビジョンを持つ人々や会社は、世界を変えることができる。日本の組織は「カイゼン」で25年、50年先を計画することがしばしばだ。「トヨタ」は数十年先を見据える。寿命が伸びている現代社会では、今50歳の人でもまだ折り返し地点にすぎないかもしれない。

多くの偉大なビジョナリーやビリオネアは、自分の人生のその先まで計画に入れる。**たいていの人は短期間で自分が成しうることを多く見積もりすぎ、生涯を通して成しうることを少なく見積もりすぎる。**

はるか先の計画を立てることで、目標とビジョンは広大で刺激的になり、しかもすぐに結果を出すプレッシャーがない。よりよい戦略的決定ができ、必要のないことに「ノー」を言うことができ、根気強くもなる。50年規模の長期計画であれば、一生で稼ぐお金の目標や、長者番付にのること、イーロン・マスクのように火星移住まで視野に入れることができるだろう。

お金の基本的な管理のあとには、さらに豊かになるための4つの「ステップ」がある。ひとつひとつがビリオネアへの階段だ。

レベル1　安定

もし今、将来の財産につながらないような「負の借金」があるのなら、そこから抜け出し、収入で基本的な生活費をまかなうのがレベル1だ。生きていくうえで最低限の状態を目指そう。

住宅費、自分と家族の食費と衣料費、水道、光熱費などの基本的な生活費を計算する。不要な支出をそぎ落としてみると、生活のために必要な金額は驚くほど少ないものだ。ここまではたいていの場合、クリアできる目標だろう。

レベル2　安全

資産からの収入でつつましい生活をまかなうのがレベル2だ。

レベル1に加えて、旅行、マイカー、休暇旅行、テレビ、インターネット、そして多少の出費という余裕がある。それだけ収入があれば、もちろん人並みの暮らしを送れるが、仕事の成果を楽しむことも、自分のお金から目を離すこともまだできない。

レベル１のその収入にそのおよそ50％を加算したものがレベル２の目標になる。自分の状況に応じて、そこにさらに15％の増減を考えてもよい。

レベル３　自由

レベル３では、資産からの収入で理想の暮らしを送ることができる。旅に出たいときは行くことができ、子どもたちをいい学校へ入れ、質のいいものを所有し、お金の心配をしなくてもよくなる。自分らしいライフスタイルを楽しむことができるだろうが、事業規模や豊かさはまだそれほど大きくはない。

レベル２の収入にその１００％から１５０％を加算するか、自分が目標とする暮らしに適した収入を指すが、ここはまだビリオネアのライフスタイルではない。

レベル４　富裕

いつでも、どこでも、誰とでも、好きなようにできる収入を、資産から得るのがレベル４だ。お金をつかいきれず、毎月毎月どんどん増えるように感じるのがこのレベルだ。お金に囲まれて豊かな暮らしを送り、気前よく与え、寄付し、それでも資産はさらに増加していく。

レベル３の収入にその５００％加算するか、とうていつかいきれないと感じる金額がレベル4の目標になる。

これら4つのレベルを「ステップ」と言ったのは、段階を踏んで徐々に上がっていくことをイメージしている。次のレベルに近づき、到達するたびに、大きな達成感があり、その満足感が次の行動につながり、自己充足的予言（訳注：自分で思い込んだ予言が、将来的に現実になっていくという心理学の考え方）をもたらすからだ。

半年ごとに、自分がいるレベルを見直すことを強くおすすめする。進歩があれば自分にご褒美をあげ、レベルが上がったときには盛大に祝おう。

お金のつかい方「1番目の層」――支出（欲求と必要）

お金のつかい方には「7つの層」がある。それらは正しい順番で整理され、しっかり活用されれば、富の階層を形成することができる。

基本的な生存を確保するため、必需品への支出は必須だ。しかし、十分に稼げない状況にある、見栄を張ってしまう、またはお金にまつわるネガティブな感情的、もしくはさらに深い信念が原因となって、お金が増えない状況になっていることもあるだろう。

実際、「必要」な支出は、しばしば「欲求」による支出と混同される。**本当に必要なものは、自分が必要だと考えるよりもはるかに少ない**ものだ。

「欲求」による支出は多くの人を貧乏にし、破産させもする。これは価値の下がる消耗品や資本・残余所得を生まない商品への支出だ。裕福な人々も（とくに、大きなお金が入って急に裕福になった人などは）同じ間違いを犯すことがある。

生命保険会社「スコティッシュ・ウィドウズ」によると、イギリスではまったく貯蓄のない人は900万人にのぼる。これは人口の15％に相当する。さらなる調査では、同国民の33％が、自分名義の貯蓄が500ポンド（約7万円）以下だ。5万ポンド（約750万円、つつましやかに暮らすカップルのたった2年分の生活費）以上の預金や投資があるのは12％にすぎない。

アメリカ人の21％は貯蓄口座すら持っておらず、62％は貯蓄が1000ドル（約10万円）以下だ。

ここで最大のポイントは、持続的にお金を増やせる人は（受動的）収入を生み出す資産にお金を「支出」（投資）し、元手を守ることだ。つまり、なにがなんでも毎月、投資に回すためのお金を確保し、そのあとで残った分を消耗品への支出につかい、やりくりする。

お金が増えない人は、欲求のままにつかい、残った分を投資（や貯蓄）に回そうと考えるが、それではいつまでたってもお金は残らず、増えていかない。

すでに消費につかわれた、または投資された資本には、もしかしたら別のところでより大きな収益を上げられたかもしれないという、潜在的な「機会コスト」がある。

多くの人は投資のときには資本コストを考えるが、支出するときには考えない。節約された資本の利益が、積もり積もればどれだけになるか、15年単位でどう変わるかを見れば、その価値がはっきりする。

「消費グセ」を「投資グセ」に変える「5つの質問」

消費グセを変えることができれば、節約して富を築き、その上、貴重なライフスキルを身につけることができる。

自分が購入するあらゆる商品は「キャッシュの流出」と見なし、購買の際には投資家になったつもりで、次の質問に答えてから購入しよう。

質問1　これがなくても、なんとかならないか？

質問2　価格が下がりきったところで中古品を買うことはできないか？
質問3　これをあとあと資産に変えることは可能か？
質問4　価値がさらに下がる前に売るか交換することはできるか？
質問5　もっともコストのかからない方法はないか？

これらの「5つの質問」は自動車、腕時計、ハンドバッグ、宝石、衣類、家具、家電、さらには旅行など、ほとんどすべての商品やサービスにつかうことができる。

お金のつかい方「2番目の層」――倹約

これはお金を上手に管理する最優先スキルだ。自明のことのようだが、多くの人がこの基本ができていない。

倹約は、目先の欲望を自制する精神力、長期計画を立てる力、持っている力を上手に管理する方法を学ぶことなど、富を築く本質につながる。

しかし、倹約だけでは莫大な富を生むことはできないのも事実だ。倹約の力と、倹約だけによる限界の一例を紹介しよう。

これは私が主催するオンラインコミュニティで受けたこんな質問を元にしている。

「たとえば月に300ポンド（約4万5000円）節約するとして、年に3600ポンド（約54万円）になりますが、これだけ金利が低くては、いくら複利の法則があっても、どうやって大きな差を生み出すんですか？」

私の返事はこうだ。「確かに1年間ではたったの3600ポンドだ。純利率はインフレ率より2％高いと仮定してみよう」

- 1年目の終わり：3672ポンド（約55万円）
- 2年目の終わり：7417・44ポンド（約111万円、満1年で元利金継続）
- 3年目の終わり：1万1237・78ポンド（約169万円）
- 4年目の終わり：1万5135・54ポンド（約227万円）
- 5年目の終わり：1万9109・23ポンド（約287万円）
- 10年目の終わり：4万207・37ポンド（約603万円）
- 15年目の終わり：6万3501・42ポンド（約953万円）

◎25年目の終わり：12万842・01ポンド(約1813万円)
◎35年目の終わり：18万7513・12ポンド(約2813万円)
◎50年目の終わり：32万5858・77ポンド(約4888万円)

1年目からはじめて、6万3501・42ポンド貯まるまで15年かかるが、最後の15年になると、13万8000ポンド(約2070万円)以上を生み出している。

複利でいかに利益が増え、期間が長いほど積み重なって膨れ上がっていくかがわかるだろう。また、最初は小さな額がより大きな利益を生み、最終的には巨大な違いになるのがわかる。しかし、それだけの効果が出るには長い年月がかかるのだ。

たとえ2％の純利益で月々300ポンド貯蓄しても、50年の貯蓄を元手にした受動的所得は、32万5858・77ポンド(約4888万円)。これが老後の生活費になる。

ところが50年のあいだにインフレ率が上昇し、その価値はぐんと下がっているかもしれないのだ。イギリスの全国住宅価格調査によると、国内の住宅の標準価格は50年前には3465ポンド(約52万円)だった。今ではそれで買えるのは標準的な中古車ぐらいだろう。

では、50年後にはささやかな年収で何が「買える」だろうか？　1週間分の食料や最低限の生活費にしかならないかもしれない。

真っ先に自分へ支払う

これは貯蓄、お金を稼ぐこと、お金に関して、もっとも重要な考え方だ。たいていの人は最後に自分の支払いを得る。

彼らの給料からはすでに税金、国民保険、奨学金返済への支払いなどが引かれている。そして給与総額の半分ほどにまで減ったものが銀行口座へ振り込まれるやいなや、住宅ローンまたは家賃、水道・光熱費、インターネット費、テレビ視聴料、自動車関連費、保険料、携帯電話代、寄付金、ジムの会費などが、あっというまにごっそり引き落とされる。

次にようやく支払いを得るのは誰だろう？　それが自分自身だ。

この状況を変えなければならない。**余裕がないから貯金ができないと思うのは間違いで、最後に残ったお金を貯蓄に回そうとするから余裕がない**のだ。

まずは給料日に2つの口座へ振り込まれるようにしよう。(1)貯蓄用口座と(2)支出用口座だ。

いくらから始めるかはどうでもいい、2万円でも3万円でも、とにかく始めよう。始めさえすればどうにかなる。たとえ少しばかり厳しい月でも、頭をつかい、少し余計に稼いでしのぐこと。やりくりする能力は誰もが持っている。

なぜこう申し上げるかというと、投資へ移るには一定のレベルの貯蓄が必要になるからだ。投資だけではない、「突然の事態」に対処するためにもだ。

米国連邦準備銀行によると、アメリカ人の52％は突然必要になっても400ドル（約4万円）を用意することができず、ものを売るか、お金を借りて捻出《ねんしゅつ》する必要がある。

目標金額を用意したら、それを元手に投資用の資金を築いていくが、資本金は絶対に切り崩してはいけない。

お金のバケツ

自動引き落としや投資の分配として「バケツ」を設定することで、富を増やしていこう。それぞれ銀行口座を分けるのは非常にいいやり方だ。

ここに示す資金のパーセンテージはあくまでも目安で、資金が増えるにつれて支出のバケツは減り、ほかのバケツは増加する。

○　バケツ1　貯蓄用口座　5％

○バケツ2　不慮の事態への備え　5%
○バケツ3　死ぬまでにやりたいこと用　10%
○バケツ4　自分の教育費　10%（自己教育への投資）
○バケツ5　投資　10%
○バケツ6　社会への還元　5%
○バケツ7　支出　55%（生活費と税金）

支出が55%を超えるようなら、それに合わせてパーセンテージを調整していこう。たとえばこんな感じだ。

○バケツ1　貯蓄用口座　3%
○バケツ2　不慮の事態への備え　5%
○バケツ3　死ぬまでにやりたいこと用　2%
○バケツ4　自分の教育費　5%（自己教育への投資）
○バケツ5　投資　3%
○バケツ6　社会への還元　2%

◎バケツ7　支出　80%（生活費と税金）

逆に、もっと資産が増えたら、次のように配分してみてはどうだろう。

◎バケツ1　貯蓄用口座　5%
◎バケツ2　不慮の事態への備え　0%（達成ずみ）
◎バケツ3　死ぬまでにやりたいこと用　10%
◎バケツ4　自分の教育費　15%（自己教育）
◎バケツ5　投資　35%
◎バケツ6　社会への還元　10%
◎バケツ7　支出　25%（生活費と税金、自由と贅沢）

銀行口座の管理

現在ではお金の管理はすべてスマホのアプリをつかって手軽にできるようになった。すべての銀行口座をオンラインで登録し、アプリで利用できるようにしておこう。次に全口座の支払先を設定すれば、いつでもどこからでも、銀行を通さずに支払いができる。

ひとつは全支出用のメイン口座にし、ほかにもうひとつ投資用、またはその他の資産からの収入用メイン口座をつくるなどする。

パスワード管理アプリをつかって、複数の口座の管理を整理しておこう。

このようにしてバケツ口座用の引き落としを設定すれば、貯蓄と投資が自動化され、お金の管理と移動が世界中どこにいてもリアルタイムでできる。

ビジネス用の銀行口座はすべてインターネットとアプリからアクセスできるようにし、いつでも調べられるようにしておこう。

「おつり貯金」を始める

硬貨別に貯金箱を用意し、手持ちの硬貨と店でもらった「おつり」をすべて貯金するようにすると、あっという間に貯まる。私は、子どもたちが大きくなったときに投資にあてられるよう、小銭を貯金している。

20ペンス（約30円）は、息子が小さいころ、ゴルフでパットを決めたときのご褒美にしていた。

50ペンス（約75円）と1ポンド（約150円）硬貨はある程度の額が貯まったあと、金貨に換えて蓄えている。

買い物には、10ポンド（約1500円）、20ポンド（約3000円）、50ポンド（約7500円）紙幣をつかうようにしている。額面の大きい紙幣を崩して小銭に換え、それらを貯金するのが私の趣味だ。1年もたてば数十万円にもなる。

「おつり貯金」は、子どもたちがお金について学ぶいい機会になる。複利が積み上がる貯蓄の性質を先ほど示したが、複利は長くやるほど力を発揮することを具体的に示すためだ。小銭をコツコツ貯めることで、自制心が鍛えられる。たったこれだけのささやかなことだが、小銭を貯めるのを趣味にしている億万長者を私は大勢知っている。

とはいえ、「今日のお金は明日のお金より価値が高い」。よって、ある程度の資本金を蓄えたら、すぐに次のステップに進もう。

お金のつかい方「3番目の層」——借り入れ

不動産投資や、事業に対する融資額を上げるステップだ。

投資の際には、優良な担保と安全な負債比率を考えておくこと。

銀行は弱気のときには貸出基準を厳格化して安全を確保する。強気になって融資比率が上昇すると、より大きなリスクを引き受け、高い利率で貸しつけ、レバレッジを増やして変動の小さな市場に顧客を放り出す。

リーマン・ショック前の2000年代なかばに住宅所有者の多くがそうしたように、借入金（住宅ローン）を簡単に手に入るお金と見なして、軽率にあつかってはならない。

とはいえ、レバレッジと借り入れなしでは、成果を得るのに時間がかかるため、低い利益率と安全な融資比率で借り入れ、銀行と長期的な関係を築いて活用し、次へ進もう。

お金のつかい方「4番目の層」——投資

もしも投資に失敗したとして（これはありうることだ）、生活できるだけの貯蓄がなければ、すべてを失う。**不慮の経済的ショックを埋め合わせられる分、たとえば半年から1年分の生活をまかなえるだけの金額を貯めてはじめて、それまで貯蓄に回していたお金の一部を投資に回すようにしよう。**

投資を始めるときは、それほど知識がいらず、リスクも比較的低い投資を探すべきだ。1

日でどれだけ増やしたいかを決めたら、その金額を財布かポケットに入れてただ持ち歩こう。絶対につかってはならない。このお金は単純に自制心を養うためのものなので、ふだんつかうお金とは区別して財布にしまう。

私はもっと若いころに世話になった「お金のメンター」の1人からこうするよう教わり、11年も続けている——なぜこれでさらに多くのお金が流れ込むのか、そのしくみは説明できないが、私には効果があった。

よいリターンを得るか、投資に回す分がさらに貯まったときだけ、投資ポートフォリオに加えるようにし、徐々にリスクをあげるのと同時に徐々にリスクを小さくするよう気をつけよう。

まずは、**金の現物や債券など「リスクが非常に低いが、リターンも低い資産」に投資する。**その後、わずかにリスクの高い投資へ進み、徐々にリスクを上げていく。自分で選んだ特定の株や、不動産、事業に賃貸をつけ加えるなどの追加投資で少しずつリスクを増やしていこう。

お金のつかい方「5番目の層」――投機

多くの人は投資だと勘違いしながら、「投機」をしている。投機とは高リスクの投資で、より大きなリターンが望めるが、失ってゼロになってもよいお金でやる行為だ。

よく知らないスタートアップ事業に投資するなど、「投資」の前に「投機」をすると、失敗して貯蓄まで失う恐れがある。投機へ進むのは、投資の知識とスキルを得て、さまざまなリスクを混ぜながら投資を学び、損失を出さないようにしてからだ。

自分には知識がほとんどない分野への投資、変動が大きい分野、または景気の影響を受けやすい投資やビジネスモデル、実績がない新しいテクノロジー……こういったことは、すべて「投機」だ。かの投資の神ウォーレン・バフェットは、まさにこの理由から「ナスダック」のテクノロジー企業への投資には手を出していない。しかも最終的に、それはかしこいやり方だということが証明されている。

腕時計、ワイン、アートなどは、いいリターンを狙うには専門的知識を要するニッチな分野だ。よほど経験を積まないと、投機だといえる。

相場の大波1～2サイクル分の知識が積もれば、リスクはかなり減らせる。

私の友人である不動産の大物実業家は、2007年の世界的不況に先立った好景気は「あまりによすぎる」と感じ、大暴落の気配を察知したそうだ。

彼はその時点で6000戸もの賃貸物件を売却した。これは絶好のタイミングとなったわけだが、彼がこの判断を下せたのは2サイクル分の経験があったからだ。

それでも、彼は「自分は運がよかった」と言う。ときには直感をつかい、計算の上で賭けに出ることになるのだ。賭け事は投資だという人もいるが、それは違う。

投機とは、1〜4までの層を乗り越えたあとに、時と場所を選んで行うものだ。感情のコントロールと内省も必須である。

お金のつかい方「6番目の層」――保険

富裕層の仲間入りをしたら、さらにお金を稼ぐ必要があるのと同様に、損失や攻撃に対して備える必要が出てくる。分散化、減税、租税回避、インフレへの調整、自家保険、保護戦略を通して、保険をかけることを検討しなければならない。

資産が増えれば税金も上がる。有形のものが増えれば、管理費と保険料、盗難や損傷のリスクも上がる。料金に税金、手数料、輸送料、目に見えないコストと、購入・投資に食い込む費用にも目を配る必要がある。

証券取引委員会によると、投資手数料0・75％の違いは、10万ドル（約1000万円）のポートフォリオでは20年で3万ドル（約300万円）の損失になるという。

大きな金額のわずかな割合は、結局は大きな金額になるのだ。

富を守るには、**投資の分散、富と資産の多層化を図り、資産を低リスクで保護するもの、貯蓄、景気循環型資産、または多くの人があまり知らない分野の事業や資産を持つことだ。**リスク、盗難、損失に対する保険も必要だ。

資産を誇示するのではなく、資産を守ることを始めよう。お金がふえれば、いずれ資産をつくり出すことより、守ることのほうが重要になる。

お金のつかい方「7番目の層」——還元

「お金のバケツ」（190ページ）から収入の数％を社会へ還元することができるし、さらには時間と経験を提供している人もいるだろう。

お金に対して貧しい考え方を持つ人ほど、お金についての罪悪感、不安、羞恥心があるせいで、はやばやと多くを社会へ還元しがちだ。お金を手放すことで心の苦しみや罪悪感がなくなると考えるのだが、経済的な余裕がなくなるため、政府からサポートを受けなくてはならなくなる。

逆に、けっして社会へ還元しようとしない自己中心的な人もいるが、社会はバランスを取り戻すすべを見つけて、彼らからお金を没収するものだ。

層が上がるにつれて、自分自身の知識、経験、専門的能力が、資産を増やす上でお金よりも価値が高くなっていくだろう。人々は自分のお金をあなたに投資するようになる。

ジョイントベンチャーを組むことができ、活用し、複利とブランド力と評判を利用して、複数の収入源を持つようになる。

資産が増えるほど社会へ還元できるようになり、やがて世界はあなたを「与える人（ギバー）」と認識するようになるだろう。そして、**世界はギバーに常に多くを与える**ものだ。

大富豪の成功ストーリーをどう活かすか

どんな資産も、うまく管理されれば資産が増えるが、理解がなければ負債になる。

いくら確実な不動産投資でも、知識がない者に与えればたちどころに負債になるが、いいビジネスアイデアをリチャード・ブランソン（「ヴァージン・グループ」創立者）に与えたら、たちどころに資本や収入を生む資産になるだろう。

資産の強さと成長能力は、投資家の知識と経験、市場の動向とタイミング、サイクル、金利、通貨状況など、さまざまな要素に左右される。

あなたは何のために投資をしているのだろうか。

住むためではなく投資目的で不動産を購入するなら、収益を上げることは必須である。為替ヘッジや価値の保存のためにゴールドを購入するなら、資本を保存することが目的だ。投資信託をやるなら、自分はお金の管理と分配には関わらないのが原則だ。

はっきりさせよう。積極的にやりたいのか、もしくは慎重に？　大きななにかを築くために時間を投入するのか、それともできるだけ受動的に干渉しない方針なのか。

富の規模が拡大するにつれ、資産も収入源も多岐にわたってくる。無知は罪だ。感情的にもなってはいけない。

また、メディアによる過剰な宣伝、特定の資産を持ったことのない人や、事業の経験がない人が論じる情報を鵜呑《う》みにしてはならない。

浮き足立たずに物事を深く学び続け、経験値を高めよう。

一貫して評価の変わらない最高級の腕時計の中には、地味な見た目のものもある。標準的な中の下レベルの住宅が、もっとも利益の上がる不動産物件ということもある。高価なアート作品が、必ずしももっとも高度な技術を用いているわけではない。大衆を観察し、あとは無視するのが最善ということもしばしばだ。


イーロン・マスクやリチャード・ブランソンのように、全財産を失い、多額の借金まで抱えたが、そこから大逆転したという成功話には用心しなければならない。

それはメディア向けに美化・単純化された話ではないか？

有名人がすべてをなげうつサクセスストーリーの陰には、なにもかも失った者たちの失敗談が何百とあるのだ。

100万にひとつのチャンスの上に、投資と事業戦略を描いてはいけない。

ある程度の結果と経験を得るまでは、新たにリスクの大きな投機にスケールアップしてはいけない。**ギャンブルで自分の家を賭けるのではなく、失ってもいいお金でやる**のだ。


そして、専門の分野を持とう。時間をかけて学び、70％〜80％の時間と投資をそこへつぎ込む。パートナーがいるなら、お互いに補完し合うことができる。

私自身は、ビジネスパートナーからどの株がいいかを教えてもらい、私は彼にどの腕時計を買うべきかを教えている。不動産のほとんどは彼が買い、ビジネス戦略の多くは私が進める。

われわれが手がけるビジネスモデルは数十ほどあるが、自分たちの手には負いきれない。80％の時間を自分の専門に注いで磨きをかけ、多様化するのは残りの20％でやることにしている。


また、資産配分を薄くしすぎると、レバレッジと複利の効果を失う。資産と事業のポートフォリオが十分に大きくなったときは、資産の再分配か統合で大きな成果を得られる可能性がある。

たとえば、年利4％で1億ポンド（約150億円）の融資を受けると、1年で400万ポンド（約6億円）の利子を支払うことになる。これを1％下げると、利子だけで100万ポンド（約1億5000万円）の節約になる！

少なくとも年に一度は資産配分や戦略、ビジョン、チャンスを確かめ、再レバレッジする、またはレバレッジを外す。資本または収入に、現物または非現物に、国内または国外に、長期または短期に、より焦点を当てることだ。

なぜ人は「うまい話」に引っかかるのか

どうして人は悪徳商法、詐欺、眉唾《まゆつば》ものの儲け話に引っかかるのだろうか？ 本物のレバレッジと、嘘っぱちの夢物語――のちには悪夢に変わるかもしれない――の違いをどうすれば見分けられるのだろう。

不動産と事業開発で40万人を超える人々にサービスを提供し、顧客を観察してきた経験から、儲け話に引っかかりやすい人に共通する特徴を紹介しておく。

1 新参者である

みんなはじめは初心者だ。「すべてのプロは、かつて〝めちゃくちゃ〟だった」とは、私のメンターの言葉だ。勉強期間がいる。**数週間から数カ月は軽はずみな、もしくは重要な決断はいっさいせずに、学び、観察し、調査して、基礎レベルの知識を得る**。その分野のエキスパートを見つけて、彼らの仕事を追うこと。

2 世間を知らない

人によってはポジティブすぎたり、楽天的すぎたりして、懐疑的な見方ができないものだ。温室育ちだったり、それまでずっと順風満帆だったりすることもあるだろう。大きな決断を下す前にリスクとマイナス面を見るようにしよう。楽観主義と懐疑主義のバランスが大切だ。

3 焦っている

人は焦っているときにはつけ込まれやすくなる。短絡的になり、物事のよい面しか見なくなる。頭がよく、経験豊かな人たちに相談し、新たな事業やモデルへ参入・移行する前に、一度頭を冷やすこと。

4 ビジョンと価値観があいまい

ビジョンと価値観がぼんやりしていると、方針がぶれ、出くわすチャンスをランダムに取り入れてしまう。自分の感情に振り回され、他人の言いなりになるのがオチだ。

5 ガツガツ前のめりになっている

じっくり辛抱づよくいくこと。現実主義と楽観主義のバランスを図ること。他者を押しのけてでも前に行こうとしてはいけない。

6 他者と比べる

隣の芝は青く見える。**他人と自分を見比べてしまうのは、自分に自信がないときだ。**ほかの人が業績を上げているように見えるとき、戦略的決断を下してはならない。今の自分と過去の自分を比較し、自分の理想にどれだけ近づけているかを目安にしよう。

「売上額」ではなく「収益性」を見る

「キャッシュフロー」と「利益」は、別個のものだ。

だいたい毎月決まった額が出ていく賃借料、社員の固定給、保険、減価償却などは固定費用と呼ばれ、短期間は変化がない。

売上げ原価、光熱費、マーケティング費用などは変動費用と呼ばれ、月ごとに変わる。

これら全支出を引いたあと、事業がどれだけ稼いだかが「利益」である。

収益性の高い事業でも「キャッシュフロー（組織へのお金の出入り）」のバランスが悪ければ

失敗しかねない。

利益を上げているように見えても、突然の支出には資金が足りない会社はある。収益性が高くても、支払い能力がないことだってある。

予期せぬ支出、訴訟、債務者の破産または支払い拒否、売れない株式を大量に保有、その他キャッシュが必要になる計画外の出来事により、手持ちの現金が底をつく場合もある。

いつ、どこでキャッシュが入ってきて、いつ支払う必要があるのかを示したキャッシュフロー予測を必ず立てよう。私は週に一度、自分の事業の「銀行預金」残高、債権者、債務者、留保利益の額を報告書にして受け取っている。

現在の「銀行預金」総残高と、調整後の純残高もだ。株式はたいして保有していないが、持っていたらそれも含めさせるだろう。

支払い条件を見直し、納品と支払いのあいだが空きすぎないようにしよう。よりよいシステムの導入、顧客に支払期日を守らせること、質の高い顧客の確保、必要なら取立代行業者をつかうこと、顧客と商品の収益性の評価、これらはすべて手元流動性（キャッシュポジション）を改善する。

利益と同様に、キャッシュの動きをしっかり監視しよう。収益性を見ておくこと。売上げがよくても利幅が低いものは、支払能力の問題を隠したり、顕在化するのを遅らせたりする。

この意味で、すべてのお金が利益ということはできない。

「時間」を甘く考えてはいけない

くり返しになるが、時間は資産である。

たとえばあなたが1時間あたり1万円稼ぐとして、別のどこかでは同じ時間で5万円稼ぐことができるのかもしれない。

働いても働いても金銭に換算すると時間の価値が下がっていないだろうか。

専門職についている人、または分析的な仕事についている人、心配性の人はこれにおちいりやすい。名実ともに経済的な自由を手に入れたいなら、雑務は別の誰かに任せなければならない。彼らの時間にかかるコストは、自分を自由にするための投資だと考えること。

「この仕事はいますぐに自分の人生で大きな変化を生み出すことのできる、ベストな時間のつかい方か?」と毎日自問し続けよう。

「イエス」という答えが出た以外のことはすべて、「任せる」「先延ばしする」「やらない」のどれかでいい。

第 5 章

一生の自由を手に入れる「錬金術」

目標を達成する「ＶＶＫＩＫ」のプロセス

現実をしっかり見ていない人もいれば、現実を見すぎて動けない人もいる。

壮大なビジョンはあるが、細かなことには目が行き届いていない人もいる。

この項では、お金をもっとよく知り、もっとつくるために、全体像から具体的な方法へと、物事を整理して優先順位をつけるプロセスを紹介する。

私はこれをまとめて「ＶＶＫＩＫ」のプロセスと呼んでいる。

Vision　ビジョン
Values　価値観

KRA（Key Result Areas）　ビジョンを具体化するタスク
IGT（Income Generating Tasks）　収益性が高いタスク
KPI（Key Performance Indicators）　損失を見つけ出すタスク

Vision――ビジョン

ビジョンとは、人生の目的についての鮮明な考えだ。毎日それを体現し、人生の終わりに不滅の遺産として残るものだ。

ビジョンがあれば、人生の十字路、困難な選択、挫折、進路変更、迷える過渡期を通り抜けるためのロードマップになる。当然、ただ掲げるだけではなく、毎日実行することが重要になる。

Values――価値観

価値観とは、人生の重要なコンセプト、基本理念である。

自分の認識、思考、決断、行動は、すべて価値観を通して現れる。

自分の価値観を通して、世界を体験したり、人生で大切なことは価値観にしたがって自然に優先順位がつけられたりする。

「揺るぎのない価値観」をつくるトレーニング

自分の価値観を知ることで、今の生活と行動を整え、直感を磨くことができる。時間をかけて、きちんと最後までやってほしい。

1 人生で大切だと感じることをノートに書いていく。たとえば、健康、家族、富、自由、幸福、学び、成功、成長、旅行、教えることなど……。抽象的でいい。なにも出てこなくなるまで、または出てきた言葉を見て、前向きなワクワクを感じなくなるまで続けること。

2 リストを慎重に吟味し、人生において変えたいと願う順に並べ直す（たとえばお金や家族をリストのトップに持ってくる）。

優先順位をつけるときに参考にしてもらいたいのは……

○自分がもっとも時間を費やしていることは何だろうか？
○外からのプレッシャーがなければ、何をして1日過ごしたいか？

◎自分の空間を何で埋めているか？（自宅、オフィス、車の中など）
◎つねに頭から離れないものは何か？
◎人があなたのことを思い浮かべるとき、真っ先に思いつくものは？
◎人生ですでに結果が現れているのはどこで、現れていないのはどこか？（自分がそれに満足していようとしていなかろうと）

義務感や建前、善悪の判断、未来の自分への望みは考えなくていい。
ただ、自分の頭に浮かんだままをリストアップしていこう。

このトレーニングを終えてできあがったリストは、まさに自分自身を表している。就寝前と起床直後にリストを読み上げるといい。2分もあれば3回くらいは読める。ほんの数週間で、自分が価値を置く大切なものを直感的に理解し、行動に反映することができるようになる。日中に起きたことや眠る直前に抱いた強い感情は、しばしば夢に現れるように、思考が無意識の中で働いて、勝手に価値を実現していく。

人生を変えたいなら、リストの順番を並べ替えてみるといい。富を引き寄せる手っ取り早い方法は、お金に関わる事柄をリストの上位へ移動させることだ。
人生を通して価値観は変えることができるし、自然と変わることもある。
経年にともなう変化もあれば（たとえば年とともに、健康に関することがたいてい上位にくる）、感情的に大きなショックを受けて（お金にゆとりのないせいで人間関係にひびが入るなど）変化することもある。

たいていの場合、人間は人生でいまだ達成していないこと、いまだ受け取っていないものに重きを置くものだ。

うなるほどお金を持っていると感じる人は、もはやお金が重要だとは見なさない。金持ちになるという目標が満たされたため、それに代わり、健康や自由、貢献など、別のものがリストのトップに上がってくる。

ダイエットをする人の多くが太ったりやせたりをくり返しがちな原因はこれだ。太りすぎを気に病んでいるときは、ダイエットがもっとも重要な価値を持つが、ちょっとやせると、とたんにアイスクリームを食べることがリストのトップに逆戻りする。

私は毎年、仕事のスケジュールが落ち着く8月と12月のはじめに、この価値観のリストの見直しを行うようにしている。

次の質問を自分に問いかけ、それぞれ頭に浮かんだことを書き留めよう。完璧でなくてもいい。どのみち生きているうちに内容は変わっていく。

わからないとか、難しいとか、理由をつけて先延ばしにせず、とにかく頭に浮かんだことを書き出してみよう。

- 自分の人生にはどんな目的がある？
- 人生で、ほかの人の役に立ち、自分が去ったあとも残り続けるビジョンとは？
- なぜそれは自分にとって重要なのか？
- 3年後、5年後、10年後、25年後、50年後の人生はどうあってほしいか？
- 自分の死後、どんなふうに人の記憶に残りたいか？

ビジョンについて考えたら、それを先の価値観と結びつけることができる。自分の価値観はどんなふうに自分のビジョンの役に立ち、それに近づく助けとなるだろう？

「お金持ちになりたい」と言いながら、価値を置くもののリストのトップテンに、「お金」が入っていなければ意味はない。

ビジョンと価値観の順位は一致するように、必要なところは順番を入れ替え、調整しよう。

ＫＲＡ――ビジョンを具体化するタスク

「Key Result Areas＝ＫＲＡ（主要成果領域）」はビジョン達成のための、もっとも価値の高い分野＝キャッシュバリューの高い分野だ。

人間関係の開拓・維持、ネットワークの構築、リーダーの育成、システムづくり、資金調達、ビジネス計画・戦略を立てること、取締役会議、自主的な学習などが含まれる。

たいしたお金を生まない日常業務で身動きが取れなくなっているなら、自分のＫＲＡを見失っている可能性が高い。

日常的に発生する雑務は、ほとんどの場合ＫＲＡではない――それらは「業務」だ。

細かい仕事に忙殺され、ストレスが溜まっているなら、おそらくあなたはほかの人のＫＲＡを肩代わりさせられている。

どれだけ身を粉にして働こうと、それでは多くを稼ぐことはできない。

１日単位、１週間単位、１カ月単位、半年単位、１年単位で自分のＫＲＡを見て、重要性と収益性がもっとも高いことを行えているか、ビジョンを達成するのに役に立っているか、自分がもっとも価値を置くものにしたがって暮らせているか、確認しよう。

今抱えている「TO DOリスト」「タスク」「人からの頼まれごと」を自分のKRAと見比べてみよう。タスクがKRAの役に立つなら実行し、立たなければ、誰かに任せるか削除する。ためらう必要はない。

あなたに従業員や部下がいるなら、彼らの役割を明確にするKRAをぜひ作成してほしい。

従業員が仕事を嫌う、またはやめてしまう原因となる、主な不満をいくつかここにあげておく。

- 会社や上司から大切にされていない
- 明確な目標がない（個人に、そして企業に）
- 自分が変化をもたらしていると感じられない
- 上司にかえりみられない
- 仕事に期待されるものが非現実的だ
- 同時進行のプロジェクトが多すぎる

組織が抱えるスタッフ／チームは明確なKRAを必要としている。それは事業が持つ明快なビジョンとリンクしているのだ。現実的な期待を満たすためにすべきことを知り、自分が行っているタスクには高い価値があり、組織に変化をもたらしていると実感できることが望ましい。

自分自身のキャリアと会社の事業のために、もっとも価値のある仕事を行っていれば、自分が役に立っていることが実感でき、それが大切にされている、刺激を受けているという感覚につながる。

そうなれば彼らは勤務時間を最大限に活用し、なおいっそう大きな収益を上げるようになるだろう。

ＩＧＴ――収益性が高いタスク

ＩＧＴ――つまり「Income Generating Tasks（収入創出タスク）」は自分に（または会社に）とって最大の価値があるタスクだ。ＩＧＴは財政的な価値と1時間当たりの収益を最大限に高めてくれるタスクのこと。

収入に直結し、最高の成果を生み出すタスクはどんなことだろうか。

最適時間で最大限の利益をもたらし、損失を最小限に抑えることができることは？

より少ない時間で、より多くを実行し、より多くを稼げる手段はないだろうか？

「ＴＯ ＤＯリスト」が多すぎてぐちゃぐちゃになるときは、ＩＧＴに主眼が置かれておらず、すべてのタスクが同等にあつかわれているためだ。

そう、すべてのタスクは平等ではない。

ゴルフでは、プロが打つショットの40％（パター）は、つかえるゴルフクラブの7・14％をつかって行われる。パターの練習に重点を置き、時間をかけることで、ゴルフのスコアは最短の時間で最大限に伸びるだろう。

同様に、優先度の高いＩＧＴに重点を置くことで、最高の収益が最短でもたらされ、自由になった時間をほかのことや、趣味の時間に回すこともできる。

ＫＰＩ――損失を見つけ出すタスク

「Key Performance Indicators（主要業績評価指標）」は、ビジネス、事業、パーソナルゴールを測る重要なモノサシだ。目標を達成するときに、**「どれくらい達成できているか」**を知るためのデータのことだ。

ＫＰＩを見ておくことで、自分のビジネスに何が起きているか、何が欠けているかを可能なかぎりリアルタイムに知ることができる。データなしではなにもわかりようがない。

ＫＰＩを知っておかなければ、間違った方向へ進むかもしれないし、損失をこうむるかもしない。それに、労力が空回りしていることだってありうる。

モノを売る会社に、販売指数／KPIがなかったらどうだろう。大量に販売しながらも、純損失を出している可能性だってあるのだ。うまく機能してないことをいつまでもやり続けるのはまさしく愚の骨頂だ。なのに、多くの中小企業が十分なKPIデータを持たずにいるせいで、新事業では10のうち9つが最初の年に倒産し、残ったものも10のうち8つがさらに3年以内に消えていく。

今すぐKPI用のデータ——成果の目安となる目標、販売指数、マーケティングレポート、財務報告など、思いつくものから集めていこう。

KPIの改善

KPIの改善には次のようなことが役に立つ。

1 データ／事業成長に関する本を読む
2 自分より大きな事業のオーナーに、彼らが参考にしているデータを尋ねる
3 自分の事業が抱えている問題を洗い出し、問題を解決する
4 既存のKPIを分析する
5 自分のチームと顧客を調査する

また、同じ経験を持ち、難しい問題を解決してきたビジネスオーナーに教えを請うことで、さらに有益な情報が得られるかもしれない。

チームと顧客へは、適切な質問をすれば、適切な答えが返ってくるだろう。
今の業務でのボトルネック（訳注：物事の進行の妨げとなる要因）は何か？
彼らがアクセスできない情報は何か？
何からスタートすべきか、やめるべきか、そのままにすべきか？

この項では「ＶＶＫＩＫのプロセス」を見てきたが、これでつねに進むべき道を進むこと、「働きづめ」になるのではなく「流れ」に乗ること、もっとも高い価値を置くべきこと、日常のデータ管理の方法がわかったはずだ。

もう、単にダラダラと単調な作業やノイズで、自分の生活を埋め尽くすのはやめよう。

富の方程式

お金には方程式がある。

富＝（価値＋公正な交換）×レバレッジ＝（V＋FE）×L

史上もっとも裕福な人々の研究から導かれた方程式だが、きわめてシンプルだ。この式が何を意味するか詳しく見ていこう。

価値＝Value（V）

Value（価値）とは、あなたがほかの人々に与えるサービスのことだ。

あなたが提供するものが役に立ち、問題を解決し、気づかいと配慮を示すことで、人々は価値と便益を受け取り、それらをさらに求め、代価を払い、ほかの人たちへ推薦してもくれるだろう。どうすればほかの人たちの役に立ち、彼らの問題を解決できるだろうか。

公正な交換＝Fair Exchange（FE）

お金を払うだけの価値があると人から見なされる製品、サービスまたはアイデアを提供し、公正な支払いを喜んで受け入れるだけの自尊心を持っていなければならない。

自分が与えたものに対して、公正さを欠くような低い見返りしか受け取らないときは、収益に対して諸経費がかかりすぎていて、いずれビジネスと収入が持続不可能になる。

反対に、与える価値に対して値段を高く設定しすぎた場合、あなたは強欲、ひどいときには詐欺のそしりを受けるだろう。広告などで一時的に売上げを伸ばすことはできても、中身がないことがわかればとたんに売れなくなる。

これも長期的には持続不可能だ。不公正なビジネスで「うまく逃げおおせている」人がいるように見えても、最後は必ずつけを払うことになる。

公正な交換を行うには、価格をテストし、相手からのフィードバックを得ること。買い手がどこまでなら喜んで払うかという金額と、売り手がもっとも利益を得られる価格がバランスする、最適なポイント（スイートスポット）がいくつか存在する。おもしろいことに、このスイートスポットは、自分が思っている価格よりも高いことがある。

公正な交換が正しく行われると、買い手は支払った分より大きな価値を受け取っていると感じ、あなたの評判は口コミで広がる。それによりマーケティングコストが下がり、もっとサービスに重点を置けるようになるため、さらなる顧客を引き寄せることができる。

レバレッジ＝Leverage（L）

レバレッジとは、サービスと報酬の規模とスピード、それが加速度的に広がる影響力である。

顧客が多いほど、入ってくるお金も多くなる。解決する問題が大きいほど、取引額は高くなる。製品、サービス、提供するものの価値が高いほど、素早く市場に広まる。

価値、および公正な交換があるときにのみ、長期にわたって富を活用・拡大することが可能になる。口コミなどによる一時的な需要の増加はあっても、提供するものが顧客の役に立たないかぎり拡大は続かない。

実のところ、急激な事業の拡大はきわめて危険だ。準備ができていないと、事業そのものが崩壊する恐れがあるからだ。また、無理のある価値を提供していると、事業拡大にともなってどんどん苦しくなり、諸経費が増加し、悪くすれば赤字になる。この理由から、優秀なビジネスアドバイザーは、早期または急速な拡大を避けるようすすめる。

評判が高まるのは「(価値＋公正な交換)×レバレッジ」が効果的に働いている証しだ。

今の世の中では、動画やテレビ、SNSなど影響力のある媒体、または口コミもこれに大きく貢献するのはいうまでもない。

ユーチューブで再生回数1000万回を突破することも、複数のソーシャルメディアで話題になることも、数百万の「いいね！」数や「シェア」数を得て国内外のテレビに取りあげられることも、なんでも可能だ。

「1人から大勢へ」は絶大な効果を持つレバレッジだ。いずれAI(人工知能)、VR(仮想現実)それにQE(量的緩和)が、速度をさらに上げるかもしれない。

なぜ「時は金なり」といわれるのか

「時は金なり」とはよく言われることだ。私は「お金は時なり」とも言いたい。お金と時間は互いに補完し合っている。

わずかなお金を稼ぐために働き通し、自由な時間を持つのを老後まで先延ばしにする人も多いが、いざ老後になるとお金がないか、時間が残っていない。

この問題には解決策がある。時間とお金の関係を理解するのだ。

「ハードワーク＝美徳」という大間違い

世間に流布している誤った思い込みのひとつが、成功するにはハードワークが不可欠ということだ。

誰よりもたくさん、長く働けば、一番になれる。犠牲を払って最後までやり通せ。けっしてあきらめるな。つらくても進み続けろ。弱音を吐くな。立ち向かえ。壁を壊せ。歯を食いしばれ。

しかし、私ならまず、時間の投資先として適切な道を選ぶ。

結果やお金を生む可能性のない仕事に時間と労力を注ぎ込み、多大な犠牲を払うのは正気の沙汰《さた》ではない。

週に60時間働き、昇進の機会は3年から5年ごと、給料は据え置き、好きなことをする時間もなく、年収300万円が700万円へ上がるのに30年かかるときている。

これで長時間あくせく働くのは、時間をドブに捨てるようなものだ。

長い時間がんばって働けば働くほど、お金が儲かり、成功できると多くの人が考える（そして教えられる）が、これは大間違いだと断言する。

富の構築には段階があり、スタート段階における長時間のハードワークは推進力となるものの、戦略、ビジョン、リーダーシップ、これら大きな問題の解決策をいったん身につけると、むしろ逆になる。

ハードワークは悪い結果につながるのだ。

残業している人は金持ちになれない

残業をする人は、お金を稼いでいるつもりで、現実には自分の時間を引き換えにしている。残業とは、かけがえのないない時間でわずかなお金を稼ぐことだ。

そのお金が消耗品などに消えて支出が増えれば、財政状況はなんら変わらない。

ハードワークと残業を美徳とする従来型の考え方を持つ従業員は、じつのところ富をつくり出している。ただし本人のためではなく、ビジネスオーナー、もしくは納税先の国のためにだ。

住宅ローン、税金、保険料などを抱えながら、安定と「安全な」老後の幻想にとらわれているかもしれないが、未来はわからない。国はあなたの年金をつかい果たすかもしれないし、規制の変更ひとつで、会社が人員過剰になるかもしれない。上司の決断ひとつであなたはリストラされるかもしれない。

もちろん従業員として働くのはなにも悪いことではないし、性《しょう》に合っている場合もあるだろう。

あるいは、起業家精神を歓迎する企業の中で、企業内起業家（イントラプレナー）になることだってできる。ただ、時間とお金の関係を理解し、活用することは、収益力の最大化に必須だ。起業家、企業内起業家（イントラプレナー）についてはのちの第6章でふたたび触れることとする。

「稼ぎ方」にはレベルがある

単位時間当たりどれくらい収入を得られるかの方式については、よくよく慎重に選ぼう。ここにいくつかパターンを示しておく。

1 業務請負

報酬を一定の金額で請け負うパターン。請け負った業務に長時間かかると、1時間当たりの稼ぎは低くなる。能率をあげることで時間当たりの収入を高くすることができる。

2 時給払い

稼ぎを増やすために勤務時間を増やせば、時間が失われる。働くことのそもそもの目的は、自分がやりたいことをできるようにすることであり、それにはお金と同様に時間が必要だ。働ける限界に達したら、それ以上稼ぐことはできない。最後の手段は時給アップだが、交渉は難しく、成功したとしても段階的にしか上がらない。

3 月給または年俸

残業をしたり、仕事を自宅へ持って帰ったりする人は、時給換算すると非常に低い可能性がある。

回し車の中でひた走るハムスターのように、どんどん長く、どんどん必死に働くサイクルから抜け出せなくなり、自分がやりたいことをする時間を犠牲にすることになる。

わずかな報酬のために寿命を縮めてはいけない。時給や月給を最大化する方法は存在する。雇われ、業務を請け負って働きながらも、そのメリットを享受することはできる。万人が起業家に向いているわけではない。

4 人を雇って稼ぐ

あなたの時給もしくは1時間当たりの価値が100ポンド（約1万5000円）だとする。だが、1時間当たり30ポンド（約4500円）稼ぐ人を雇い、うち10ポンド（約1500円）があなたの収益になるとすると、10人雇えば1時間当たりの稼ぎと同じになる。

これが時間とお金のレバレッジだ。

自分の労働時間を減らすこともできれば、自分の時間で100ポンドを稼ぎ、従業員、そして10人の時間で100ポンドを稼いで、事実上、同量の時間で収入を倍加することもできる。

先にあげた1〜3までの収益方法と違い、この方法は規模に上限がない。

1000人雇えば1時間当たり1万ポンド（150万円）、1万人雇えば10万ポンド（約1500万円）の収入になる。

1万人が1時間当たり10万ポンドの純利益をもたらすと、週40時間の労働で40万ポンド（約6000万円）になる。この時点であなたの1時間当たりの価値は数千ポンドに達しているわけだ。

ここまでいけば、自分が受け持つ仕事を選ぶことも、仕事を減らすことも、まったく働かないことも、チームとともに働いてさらに稼ぐこともできるようになる。

これが莫大な富を生み出すしくみだ。

5　資産からの収益

人を雇えばマネジメントをする必要が出てくる。

これはかなり時間を食う。事業拡大とともに、自分自身がマネジメントにかかわる時間を削減しよう。その代わり、時間を資産管理やシステムづくり、ソフトウェア開発、株式、不動産などに投資することができる。

これらは受動的所得（訳注：実質的な労働によるものではない収入）を生み出し、人より管理に手がかからない。または、資産の管理に人を雇ってもいい。時間を投資して事業を構築・拡大したら、次の目標へ移ることができる。

起業の段階では、資産がなんの収入ももたらさないことはままあり、このため、ビジョンのないビジネスオーナーは、なんとかやりくりするので精一杯になってしまう。しかし、資産をいったん構築し、システム化・管理化すると、残余所得を生み出し続けることが可能になる。

6 業務請負／時給／月給／人を雇う／資産

事業を拡大し、お金をつくることができたら、5つの方法すべてを用いて収入を得ることができる。

自分の時間を巨大商業ビルの開発や、スティーブ・ジョブズのようにチームの設立に投資して、新たな事業を築くこともできる。

事業から高い給料と配当金をもらいながら、経営・運営から退くこともできる。組織で働くスタッフたち、それにあなたが築いた全資産が富を生み続けるからだ。

すべてのしくみがいったん構築されれば、最小限の時間で、最大のレバレッジをかけながら、複数の収入源を持つことができる。

その仕事はどれだけの価値があるか

自分が正しくレバレッジをかけられているか、現在行っているタスクが経済的な価値あるのかをはっきりさせる唯一の方法は「1時間当たりの自分の価値を知ること」だ。

第1段階は、「Income Generating Value（IGV）」、つまり収入創出価値の計算だ。

ＩＧＶとは、**労働1時間当たりの自分の価値**を示す。その1時間がどれだけの価値を持つのかが明確になれば、自分でやるべきタスクと、対価を払って他者に代わりにやってもらうべきタスクとを分けられる。

まずは毎週の労働時間の合計を出そう。これには本業、全副業、そして資産形成のための時間すべてが含まれる。つまり、お金を稼ぐことにつかわれる全時間だ。

とりあえず、ここでは55時間と仮定しよう。

次に、その時間内でいくら稼いでいるか、おおよその見当をつけよう。

サラリー、配当金、利子、不動産所得など、すべての所得である（贈与や融資は除く）。すべての収入を勘定に入れたら、総計を出す（税などは引かない）。

ここでは1週当たり1000ポンド（約15万円）に設定する。月単位の収入の場合、月当たりの収入を4・3で割れば週当たりに換算できる。

次に、その総所得を1週間の労働時間で割れば、それがあなたのＩＧＶ、1時間当たりの自己価値だ。

ここにあげた例ではＩＧＶ＝1000ポンド／55時間＝1時間当たり18・18ポンド（約2700円）となる。

このことから、何がわかるだろうか？　1時間当たり2700円以上をもたらす（またはもたらす可能性のある）タスクは、自分でやってもIGVが下がることはない。

しかし、これより低い時給の（またはそうなる可能性のある）タスク、もしくは2700円より安いお金で外注（アウトソース）可能なタスクは、絶対に外注しなければならない！　さもなければ、自分のIGVが下がる一方である。

被雇用者が、長時間労働や超過勤務で金持ちになれない理由はこれだ。

一方で、金持ちがどんどん金持ちになるのもこれが理由である。彼らは価値の低いタスクは代価を払って人にやってもらっている。

逆に、自分自身のIGV以上に稼ぐことができる、またはできると感じるタスクは引き受けていこう。それに見合ったリターンが見込め、さらにレバレッジがかけられるからだ。

「TO DOリスト」の、ここから取りかかれ

おそらくみなさんが忙しいとき真っ先に考えるのは、「何をすればいい？」、もしくは「やることが山積みだ、どこから手をつければいい？」、または「これはいつになったら終わる？」、あるいは「どうやってやればいい？」、ではないだろうか。

では、次回からこう考えてみてはどうだろう。

タスクや「TO DOリスト」に取りかかるときは、自分ができそうなタスクから始めるかわりに、「レバレッジがかけられる」または「アウトソース（外注）できる」ものから始めよう。

1番目のタスクは誰に任せることができる？　2番目は？　3番目は？

1日に7つほどあるタスクのうち、4つは自分以外の人に頼んでレバレッジし、自分は3つを引き受ける。

「レバレッジ」したタスクはすべて、自分で終わりまで管理する必要がある。タスクをチェックし、完成するまで管理しよう。それでもレバレッジしたことで節約できた時間は、積もり積もれば大きな利益を生む。

最終的には、7つのタスクのうち3つはレバレッジし、2つは「管理下」に置き、実際に自分でやるのは2つだけというようになるだろう。

もしも忙しすぎて隙間の時間も取れないという人は、それこそまさにレバレッジをかけるべきタイミングだ。

また、「あれもこれも自分でやらなければならない」「自分以上にタスクや仕事をしっかりやり遂げられる人がほかにいない」という状況でこそ、レバレッジをかけなければならない。

歴史的巨人たちの共通点

富を築く方法は、富の巨人たちから学べというのが、私の鉄則である。自分の間違いから学ぶのが一番だという人もいるが、私は他人の間違いから学ぶのが一番だと考えている。

車の衝突実験のダミー人形になってもらい、安全だとわかってから、あなたが登場するのだ。一番乗りになるのではなく、最速でお金持ちになればいい。そのためには前例にならい、自分の中に取り込むことだ。

「伝説の書」に書かれていること

アメリカの歴史家ヒューバート・ハウ・バンクロフトは１８７４年から１９１７年のあいだに27冊の著作を執筆し、１８９６年に『富を成す者の書』（原題"The Book of Wealth"未邦訳）を刊行した。これは人類の歴史上もっとも裕福な人々の物語で、完成するのに６年を要している。

全10巻にもなる大著で、１８９８年に４００部のみが発売された。バンクロフトはこの本を西欧諸国の大金持ちにのみ販売した。

モルガン家、ロスチャイルド家、ロックフェラー家、ヴァンダービルト家、ケネディ家、カーネギー家、フリック家、それにフォード家など、錚々《そうそう》たる名門だ。

『富の書』の特徴と、およそ１９００年までの全歴史を通して取りあげられている富の巨人たちは――そのうち多くは現在の物価に換算するといまのビリオネアたちとは比べものにならない莫大な富を蓄えていた。

バンクロフトが『富の書』を出版するまでの６７００年間に登場した裕福な人々の考え方3つをここにご紹介しよう。

1 自分は多くの人々の役に立つ運命にある

彼らは、大勢のために役立ちたい、成長し続け、さらに多くの人々にサービスを届けて貢献したいと、心の底から実感する経験をしている。

この願望にはゴールも規模の上限もない。大勢のための役に立ちたいという願望は、多大な貢献へと彼らを駆り立て、いつか人々に語り継がれる遺産をつくる。

結果的に莫大な富を築くにいたっているが、最初からつねにお金儲け以上の目的がある。人々の記憶に残ること、恒久的な歴史を生み出すことが彼らの原動力だ。他者からの妨害も、ビジョンがあれば跳ねのけることができる。

史上最大の富豪として、ジョン・ロックフェラーとアンドリュー・カーネギーの2人があげられる。ロックフェラーの総資産はみずからが経営する「スタンダード・オイル」全盛のころに3410億ドル（約35兆円）に相当し（晩年の1918年の時点で15億ドル）、カーネギーのほうは3720億ドル（約38兆円）だ。

1901年、鉄鋼王と呼ばれたカーネギーはJ・P・モルガンに鋼鉄会社を4億8000万ドル（約500億円）で売却した。これは当時のアメリカの国内総生産の2・1％以上に相当する。

彼は成功したお金で、アメリカン・フットボール場80個分を超える面積を持つ製鉄所を建造。1900年には鉄鋼の生産量は毎年1100万トンにのぼり、20万人の従業員を抱えた。

お金を稼ぐ力は、育て、人類の利益のために全力をつくして利用すべき贈り物であると私は信じる。このような贈り物を授かったからには、お金をつくってさらに稼ぎ、稼いだお金は良心の命じるまま、仲間である人間の利益のためにつかうのが私の義務であると信じる。

ジョン・ロックフェラー

2　自分は豪華で、高い水準の生活を送る運命にある

豪華で高い水準の暮らしとは、上質のものを楽しむことだが、景気を刺激する手段でもある。彼らの行く先々でお金の流通速度が増し、訪問先または居住場所すべての価値が高められ、お金が落ちる。その経済効果を考えてほしい。

3 お金とは何であり、何でないのかを認識している

お金とは何であるのかを知らなければ、富を増やすことはできない。しくみがわからなければ、車のエンジンを修理することはできないのと同じだ。

以前の私は、経済学やビジネス、歴史は無味乾燥で退屈だと思っていたのだが、今ではおもしろくてたまらない。

もうみなさんもおわかりのように、お金は善でも悪でもない。お金とは単に価値の交換の普遍的なメカニズムであり、未来の価値の蓄積法で、不確かな未来に対処して公正な交換を可能にする方法にすぎない。

お金とは信用であり、借金であり、物質に変換された精神だ。

大富豪たちはお金にまつわる感情的な意味づけや信念にとらわれることなく、お金のしくみを理解している。

「ビジョンを描ける人」が必ず持っている資質

私はミリオネア、ビリオネア、ビジネスリーダー、革新者（イノベーター）、明確なビジョンを持つ人（ビジョナリー）を研究し、幸いそれら多くの友人を持ち、彼らをひとつのタイプにくくることはできないことを学んだ。

彼らは十人十色で、価値観、得意分野、出身国、性別、年齢、すべてがバラバラだ。典型的なビリオネア層というのはないが、参考にすべき普遍の性質はある。

億万長者たちが、けっしてあなたよりかしこいというわけではない。

ただ、ほかのみんなが「それが人生のあたりまえ」と受け止めていることも、彼らは変えようとしたり、影響を与えようとしてきた。

スティーブ・ジョブズ

「アップル」は今では毎分30万ドル（約3000万円）を稼ぎ出している。

ビジョナリーの目にはしばしば世界は彼らの遊び場として映る。

そして、ビリオネアは、世界というのはあらかじめ固定されているのではなく、これからいくらでも変えられると知っている、ごく少数の人たちだ。

彼らはほかの人々は見ていないものを見ている。大勢の人たちが非現実的だというようなことも、大きなアイデアであればあるほど、彼らには刺激的であることが多い。

たとえば、起業家イーロン・マスクは火星への移住を見据えている。

彼らの目には価値がもたらされる可能性が見え、規模を視覚化することができる。人とリソースを動員し、アイデアに命を吹き込み、収益に変える。自分の考えを鮮明なビジョンに託してそれを現実化させる力はあなたにもあるのだ。

自分のメッセージをほかの人々と共有し、計画、人材と材料の組み立てがいったん始まると、投資家が登場してビジョンに融資し、さらに多くの人が集まって、アイデアが人々のもとへと届きはじめる。

成功するには「物事をポジティブに見る」必要があるというフレーズをよく耳にすることがあるだろう。

ただ、私はこのアドバイスはあまりに短絡的で、現実を知らないアドバイスだと思う。

極端に楽天的になるのも懐疑的になるのもよくない。

「楽天的」すぎれば考えが甘くなり、懐疑的すぎれば、計算と熟慮にとらわれて、動けなくなる。間違いなくもっとも「ポジティブなビリオネア」の1人、ヴァージン・グループ会長リチャード・ブランソンはこうアドバイスしている――「自分の直感を信じろ、だが、最悪の事態に備えよ」。

悲観的でないが、妄想を過信するわけでも、起こりうる悪い可能性に目をつぶっているわけでもない。

億万長者たちが、全体をポジティブにとらえるのはそのとおりだ。これは変化を起こし、世の中に違いを生み出す重要な能力のひとつだが、必要なときには懐疑的な視点を持つことも必要である。

他者を頼りにするが、支配はされないようにする。

おたがい公正に、しかし毅然《きぜん》として交渉する。

人を信頼するが、ただし確認は怠《おこた》らない。

「ポジティブ」と「懐疑」を自由に行き来できるようになれば、稼ぐ力はパワーアップする。

目指すは**「現実的な楽天家」**だ。

ミリオネアの85％が身につけている習慣

1200人以上の億万長者を調査した作家、スティーブ・シーボルドはこう述べている。

「お金持ちの家に行って真っ先に目に入るもののひとつが大きな書庫だ。彼らはここで、さらに成功する方法について学ぶ」

彼はこう続ける。「中流階級が読むのは娯楽小説にタブロイド紙、ゴシップ誌だ」

ニュースサイト『ビジネスインサイダー』によると、投資家ウォーレン・バフェットは、仕事日には80％の時間を読書に費やしている。

金融コンサルタントのトム・コーリーは、自身のサイトにこう記している。

「ミリオネアの85％は月に2冊以上の本を読む」

彼らが主に読むのはキャリア、歴史、自己啓発、健康、時事問題、学習法、心理学、リーダーシップ、科学、宗教、哲学、ポジティブ思考などのテーマと、成功した人々の伝記、実用書だ。

私自身の、そして多くの人々の調査から、お金持ちはつねに学び続けていることがはっきりとうかがえる。もちろん、ビジネス、富、お金にまつわるイベントや講座にお金を惜しまない。こういったことはすでにさまざまなところで説明されていることなので、まったく新しいことではないが、ぜひ覚えておいてほしい。

月に良書を2冊読むのは難しいことではない。

前述のトム・コーリーによると、関連書籍を月に2冊も読めば、平均して32年後にはミリオネアになっている。思考がその人を形づくり、思考は現実化するのだ。脳内にインプットされた情報は形を持った富に変換される。

「体にいいこと」という資本づくり

成功を収め、巨万の財を築いた投資家ウォーレン・バフェットはこう答えている。

「(成功の)秘訣は3つあります。アメリカで暮らし、すばらしい機会に恵まれたこと。健康な遺伝子を授かり、長生きしたこと。そして複利です」

ウォーレン・バフェットは、現在ほぼ90歳、その富の99％は50歳の誕生日のあとにつくられたものだ。

莫大な富を蓄えられたのは、長寿によるものだと言うが、同時に健康維持に努め、エネルギーを保っているのも重要だ。

想像にかたくないが、病や疲労は、富の創出をさまたげる。

前述のトム・コーリーが調査したミリオネアのうち、66%が毎日30分以上運動をしていた。たとえば、スティーブ・ジョブズがそうだったように、長いウォーキングに出かける億万長者も少なくない。

運動することでエネルギーを増やし、知力を高め、寿命を延ばすことが証明されている。

1代で財を成したミリオネアの50%が、少なくとも仕事を始める3時間前には起床している。早起きをし、ポッドキャストやオーディオブックを聴きながら運動することで、時間を3倍活用できる。


また、健康づくりに大切な睡眠時間については、アドバイスが分かれるものだ。

早起きは大富豪に共通する特徴なので考えてみるべきだが、私が配信しているポッドキャストで何人かの専門家に話を聞いたところでは、1日のうちでエネルギーがピークに達する時間帯は人それぞれで、自分に合った時間がもっとも効率が高まるようだ。

ビジネスパーソンの多くが早起きを好むのに対して、クリエイターの多くは夜に仕事をするのを好む。睡眠は5時間でいいという人もいる。激しい運動をする人は8時間の睡眠を必要とすることが多い。

早起きして長時間働けばいいということではなく、自分にとって最適な起床時間と睡眠量を試すのがいいだろう。

1代で財を成すために

多くのミリオネアは1代で財を成している。一般的なイメージとは裏腹に、彼らは遺産や贈与もなく、宝くじに大当たりなどしなくても、自力で富を築いている。

彼らのスタートラインは、他のみんなと同じ。80％から86％のミリオネアが「自力でつくった」のだ。

『フォーブス』誌によると、1984年以降、財産相続によるビリオネアより、「1代で財を成した」ビリオネアが大幅に増加している。

2016年1月の『アントレプレナー』誌の記事では、アメリカのビリオネアの62％が「自分で築き上げたビリオネア」だと報告されている。

また、トム・コーリーによると、ミリオネアのうち65％は、はじめて所得が100万ドル

（約1億円）に達する前に、収入源が少なくとも3つあったという。

安定した財産を築いている人のうち、複数の収入源がない人を、私も知らない。

ひとつのモデルで最初の財を築くが、その後、不動産、株式、その他のビジネス、テクノロジー、知的財産、さまざまな資産（アセット）クラスに投資して多角化を図っている。

どれほど大きい市場を独占していようと、ひとつの収入源では既存の枠組みの破壊（ディスラプション）が起こったときに、大きなリスクにさらされるからだ。

豊かさの「ドリームチーム」を結成する方法

私がこれまで出会った億万長者たちの中で、ほかの成功者や、自分よりさらに上のレベルの人たちと、深いつき合いのない人は1人として存在しない。

人間関係は資本だ。自分が目標とする人たちの役に立ち、つき合いを保つことを一生の課題にしよう。

類は友を呼び、成功の度合いは親しい仲間のそれと一致する。自分の国を築くのと同様にネットワークを築こう。

仲間、専門家、メンターを探そう。他者から学ぼう。最高の人たちとつながり、彼らからさらなるつながりを得よう。成功者は成功者とつき合いがあり、お金持ちはさらなるお金持ちを引き寄せるものだ。

そして、富を拡大するなら「あなたひとり」では無理である。ともに働いてくれる優秀な人材がまわりに大勢必要になる。

始めるときには、自分とコンピューター、それに夢があればいい。テレワークの契約スタッフが2名いれば、アウトソースとレバレッジで収入4000万円に達するのも可能だろう。しかし、そのうち仕事の量がさばききれなくところで収入は頭打ちになる。

そこからはメンター、アドバイザー、スタッフの登場だ。アシスタント、個人秘書、業務担当、セールス担当者から始め、規模を拡大しよう。

事業が大きくなるにつれ、管理職、取締役、マーケティングとデザイン部門それぞれのアドバイザー、財務・税務・法律顧問、広報担当者、それにスタッフが50人を超えたらフロアディレクターと人事の管理職が必要になるだろう。

総収益が上がるほど、多くの人手がいる。人を雇うことに不安や苦い経験を持つ人は多い。これは規模拡大のプレッシャーの前にビジョンがかすんだだけで、「不可能」という意味ではない。

スーパーマーケット・チェーン「ウォルマート」の創業者サム・ウォルトンは、彼の時代と現在の両方において、世界一の富豪のひとりだ。

彼は現代のお金に換算して、1000億ドル（約10兆円）を超える遺産を家族に遺している。「ウォルマート」は2015年には220万人にのぼる従業員を抱えている。

一方で、本書の執筆時点ではSNSの「フェイスブック」はこれより規模が小さく、同年の従業員数は1万2691人だが、それでも相当なもので、マーク・ザッカーバーグの総資産額は548億ドル（約5・5兆円）だ。

あらゆるビジネスのパフォーマンスを測る指数のひとつに、従業員ひとり当たりが上げる収益（Revenue per Employee：RPE）がある。

私はこれを徹底的に調査し、従来型のビジネスでは（平均して）従業員ひとり当たり5万1000ドル（約510万円）、高いところで（たとえば「アップル」社など）、186万5306ドル（約2億円）と大きな幅があることを知った。

ビジネス特化型SNSである「リンクトイン」のRPEは32万ドル（約3200万円）、「ヤフー！」のRPEは37万5000ドル（約3800万円）、「アマゾン」のRPEは58万ドル（約5800万円）だった。

テクノロジーやイノベーションに関わる会社は総じてＲＰＥが高く、その多くが過去10年で急成長している。

「持てる者」と「持たざる者」の習慣の違い

富の巨人とその他の人々の考え方と習慣の違いを次にまとめておく。

持てる者	持たざる者
全責任を負う	非難し、言い訳をする
富を築くことに全力を注ぐ	富を欲しがり、富を夢見る
広い視野で考える	狭い視野で考える
創造する	消費し、頼る
チャンスを見つける	問題を見つける
お金について学ぶ	お金を目的化するのは悪いことと考える
お金持ちに敬意を払う	お金持ちをうらむ

持つ者とつき合う
売り込み、宣伝し、自己アピールする
受け取り上手
レバレッジする
進み続ける
与える
お金を管理する
お金に働いてもらう
知らないことを学び、成長する
恐れを克服する
未来を見通す
メンターの言葉を聞く
感情のバランスを保つ

持たざる者同士で集まる
売り込み、宣伝し、自己アピールすることができない、またはやろうとしない
受け取り下手
レバレッジされる
振り出しに戻り続ける
消耗する
お金の管理が苦手
お金のために働き詰めになる
すでに知っていると考える
恐れに操られる
過去にとらわれている
友人の話を聞く
極端な感情に振り回される

自分の中にいる「錬金術師」

「錬金術（アルケミー）」という言葉は、もともと「物質の変化を目的とする化学技術。中でも卑金属を黄金に変え、不老不死の薬をつくり出すことを目指す」ことである。

中世の科学者が主に研究していたのはこれである。

私たちはみな伝説の錬金術を、水をワインに、鉛を金に変えるすべを――成功への近道を――探し求めているのだ。すべてのミリオネア、ビリオネア、またはみなさんがなりたいと望むものは、本当の意味での「錬金術師」だ。彼らは思考を、アイデアを、決断と行動を黄金に変える。

あなたの中にも、内なる価値を現実にする錬金術師がいる。問題は、ほとんどの人はそれを閉じ込めたままにしていることだ。

「自己実現」の嘘

先に述べたように、誰も「ひとりきり」では成功できない。かつて私も、やる気と努力をもってすれば、自分で運を切りひらき、「自力でのし上がる人」になれると思っていた。この思考は、7年間の被害者意識と、自分の運命をコントロールできていないという思い込みの産物だ。

やる気があっただけましだが、これでは消耗戦だ。始めたはいいものの、進歩はかぎられている。ひとりですべてをこなすことはけっしてできない。

すばらしい人々、すばらしい友人たち、すばらしいチーム、大きなビジネスネットワーク、優秀なアドバイザーとパートナー、サポート、説明能力（アカウンタビリティ）、コミュニティが必須だ。たとえあなたが「ナンバーワンプレイヤー」であっても、「ナンバーワンチーム」の前には歯が立たないのだ。

もしも自分がどちらかというとサポータータイプ、または企業内起業家のほうが向いていると思うのなら、リーダーを支えてチーム内で自分の役目を見つけ、価値をつくることもできるだろう。

人の力になることは巡りめぐって自分のためになる。

サッカー選手のクリスティアーノ・ロナウドは自身の成功を、代理人で昔から家族ぐるみの友人であるジョルジュ・メンデスあってのことだと述べていた。

ウィンブルドンの覇者、テニス選手のアンディ・マレーは、連敗から抜け出すことができたのはコーチのイワン・レンドルのおかげだと語っている。

成功者たちは実際には、陰に日向に大勢に支えられている。

「成功者の物語」はメディアの脚色も相まって、事実とはズレが生まれ、利己的にとらえられる。

そこまで到達するのは彼ひとりの手柄だろうか？

サポートに尽力した大勢の人々のことは？

自分ひとりきりのチームなど存在しない。ビジョナリーやリーダーは成功のために他者の力を借り、自身も他者に惜しみなく力を貸す。

ひとりでできると思い上がってはいけない。自分のやり方にこだわるのもやめよう。優秀な人々を引きつけることを使命にして、お互いに高め合えるチームをつくろう。

ネットワークを構築する

偉大な成功者はひとりの例外もなく、偉大な人々がまわりにいる。

たとえば権力者には偉大な妻が、ビジネスオーナーには偉大な従業員、取締役、個人秘書、外部スタッフ、業務マネージャーが、アスリートには偉大なチームメンバー、メンター、コーチやアドバイザー、エージェント、会計士、税務顧問がいるものだ。

私の会社兼投資の運用手段のひとつが不動産だ。不動産の購入・管理には、仲介業者、不動産譲渡取扱人、弁護士、銀行、民間金融機関、ジョイントベンチャー・パートナー、エージェント、建設業者、賃貸住宅仲介業者、不動産業者、改装業者、ビジネスアドバイザー、経験豊富なビリオネア、税務専門家、会計士、ビジネスパートナー、従業員、さまざまな専門の顧問（マーケティング、広報、セールス、デザイン、テクノロジーなどなど）、さらに多くの人々の協力を仰がなければならない。

週の3分の1をネットワークづくりと管理にあてても、時間のムダではない。自分の頭脳となる仲間、コーチ、メンター、専門家からなる集団「マスターマインド」（261ページ参照）

を構築しよう。

最強のメンターを持つ

お金で雇うメンターもいれば、ランチをおごって助言をもらう気軽なメンター、近所で顔見知りのメンターや、一度会っただけのメンターもいれば、面識はないが、その著作や動画はすべて目を通しているメンターもいるだろう。

ただ、経験に裏づけされていない、口だけの人にはメンターの資格がない。

あなたのメンターはどうだろうか？

メンターから1対1で指導を受けるメリットには、おもに次の3つがある。

お手本にできる

自分が目標とするライフスタイルを持つ人たちを見つけ出そう。

ともに食事をし、語らい、粘り強く、しかしていねいに相手の話に耳を傾けよう。

彼らの日課、習慣、行動を分析し、彼らのネットワークに参加するのだ。

かつてはあなたの崇拝の的だった人々が、やがてあなたの友人や、ビジネスパートナーになり、それに比例して、経済的な豊かさを手に入れることができるだろう。

お金のために人と親しくなることに罪悪感を抱く必要はない。人はそれぞれ動機があって人づき合いをするものだ。同時に、自分も相手に価値を提供するように努めれば、彼らも引きつけられる。

名著『思考は現実化する』(きこ書房)で、ナポレオン・ヒルは心の中に「マスターマインド」をつくる方法を語っている。

目をつぶり、自分の敬愛する億万長者たちが重役会議室のテーブルをぐるりと囲んでいる様子を細かなところまで想像する。そして自分が直面している試練を彼らに話し、彼らならどうするかを尋ねる、というものだ。

こんな話は眉唾だと思うかもしれないが、だまされたと思って試してみてほしい。

私は15年前からこの方法を始め、以来ずっと続けている。頭に思い浮かべた人々の多くは、のちに実際自分のビジネスで世話になり、私は最大の試練をいくつも乗り越えてきた。これから先も試練はあるだろうが、ひとりのときでさえ、自分がひとりきりではないとわかっている。

この方法について話すと、だいたいの人は「頭がどうかしている」と思うようなので、ほかの人とシェアしないほうがいいだろう。自分でこっそり試してほしい。誰になんといわれようと。

業界研究ができる

成功したスポーツ選手やビジネスパーソンには（複数の）コーチやメンターがいる。自分の業界やニッチ、あるいは異なる業界からも学ぶことはたくさんある。有料のパーソナルコーチ、ビジネスで成功したメンター、「無料の」ピアグループ（訳注：目的や社会的立場が同じ人たちで形成される集団）、利用できるものはいろいろある。成功した人々や事業を研究するのもいいだろう。

伝記や自伝を読むことでもさまざまな業界のリーダーたちの優れた洞察力、マインド、才能、人生が凝縮されたアドバイス、そして戦略をかいま見ることができる。

「マスターマインド」の頭脳を手に入れる

マスターマインドとは、優秀な頭脳を持つ人々の集まりで、それぞれが持つスキルを結集することで、単にひとつひとつを合わせたよりも強力な力を発揮する。

私もさまざまなマスターマインドグループにメンバーとして、メンターとして、所属している。テーブルを囲むメンバーの誰かが、問題や答えを別方向から見る目を持っていたり、力になれる人を知っていたりする。ほかの人たちの議論を、自分と同じ業界のことであれ、別のことであれ、「のぞき見」するのも大いに有益だ。まったく違う業界のアイデアを自分の分野へ拝借できることも多々ある。

情熱と仕事をひとつにする

自分が好きなことをやり、やっていることを好きになろう。

お金を稼ぐために好きでもないことに全人生を犠牲にし、報酬を楽しむ時間がなくては元も子もない。

豊かさで幸せな人生の秘訣は、趣味を愛して仕事を嫌うことではなく、趣味を仕事にすることだと私は考える。

なんのリスクもなく、ゼロからやり直せるとしたら何を始めるだろう。

理想のワークライフバランスをつくる

理想のワークライフバランスをつくるときは、次を参考にしてほしい。

1　自分にとって自然で、一番抵抗がなく、自分でコントロールできるいい点がたくさんある職業を選ぶ
2　情熱を注いでいることを仕事に選ぶ
3　尊敬できる成功者を研究し、(多くを)まねる
4　続けるべきこととやめるべきことを見極める

与えられた仕事をするより、自分の情熱を収益化することで、持続的な豊かさをつくることができる。錬金術とは自分の思考からスタートし、アイデアをお金に変える方法を学ぶことである。

第6章

今こそゼロから始める「最強の人生戦略」

富が加速するレバレッジのかけ方

レバレッジとは、より少ないものでより多くを達成するテコの原理だ。
つまり、より少ないお金でより多くのお金を、より少ない時間でより多くの時間を、より少ない努力で、より多くの結果を得ることを意味する。

私に十分に長いテコを与えよ。そうすれば地球を動かしてみせる。
アルキメデス

前述したように、多くの人はレバレッジの手段を持たず、「ハードワーク」でもっとお金が稼げると信じている――「生計を立てる」には「労働」と「犠牲」が必須なのだと。

彼らは「時間／仕事／お金」は比例すると信じ込まされているが、億万長者たちはそうではない。イギリスの大富豪トップ25人中、従業員はひとりもいない。全員がビジネスを創業するか継承するかしている。全員が雇用者、ビジネスオーナー、投資家だ。

インターネット、それにそれらを活用する数々のアプリやテクノロジー、システムのおかげで、レバレッジをかけることはかつてないほど簡単になった。

業務の多くは外注することができるし、時給で働いてもらえる秘書を雇えば、空いた時間で生産性の高い仕事に集中できる。

雑務5時間分の外注に6000円かかるとしても、空いた5時間をビジネスの構築や、不動産物件の購入に再投資して、毎年数十万円の残余所得が入ってくるようにもできるのだ。

スーパーリッチたちの秘密

例として不動産への投資を見てみよう。これは私の情熱であるビジネスベンチャーのひとつで、スーパーリッチたちが実践している一般的なモデルでもある。

このやり方には「起業家／投資家」タイプと、「オーナー」タイプの2種類がある。

オーナーの多くは、管理やメンテナンスを自分で受け持ち、物件の改装、塗り替え、内装、集金、そしてその他の業務に関わる。

もちろん、これらの仕事がなされなければ物件は収益を生まず、賃貸物件として高い価値を保てない。

しかし「起業家／投資家」タイプの人なら調整、管理、メンテナンスなどの細々した仕事はすべてアウトソースし、時間をもっとほかの生産的なことに空けるだろう。

ここから事業拡大に乗り出すことができるのだ。この考え方は、その他の分野や産業でも共通している。

「堅実な仕事について一生懸命働き、犠牲を払い、リスクは取らない」という、昔の時代、世代に属する勤勉な価値観が根づいている大部分の人たちには、この転換は受け入れがたいだろう。

個人事業主の多くは、彼らの小さなビジネスに自分が目を配らなければと感じるものだ。トップとして管理すること、忙しいことが、彼らには大きな意味を持つ。

自分以上に仕事をうまくやれる者はいないと、仕事を人に任せるのを嫌がり、人を雇う余裕はない、または「自分でやる（ＤＩＹ）」のだから「費用が浮く」と考える。

しかし、コスト削減のために自分でやり出したりしたら、仕事に終わりはない。確かにコストカットできても、レバレッジをかけられたはずの多くの時間がムダになる。「DIY（自分でやる）」とは「Destroy It Yourself（自分で壊す）」の略だと考えてほしい。

不動産経営に乗り出したばかりのとき、私は物件の見学、購入手続き、住宅ローンブローカーとの交渉、改装、賃貸とテナントの管理が自分の仕事になるのだと思っていた。

最初は熱意とやる気にあふれていたからよかったものの、仕事はどんどん単調になっていった。12件ほど購入し、1年たって経済的にも安定したころ、私は自問した。

「これは本当に一生をかけてやりたい仕事なのか？」

ビジョンとレバレッジがなければ、不動産経営――世界でもっとも優れたアセットクラスのひとつ――も、ほかの仕事と同様にハードワークになりかねず、うんざりするような交渉ごとに時間をとられるばかりだ。

しかし時間、お金、資源、アイデア、そして人材をうまく活用している人々は、不動産経営で莫大な収益を上げている。ほかのビジネスもたいていは同じだ。

私の知っている、副業で不動産経営をしている人のほとんどは、オーバーワークで苦労している。

不動産物件の見学、交渉、購入、賃貸、改装、経営、管理などはほかの人に任せ、収入を公正に分ける方法を模索しなければ――。レバレッジをかけるか、不動産経営から手を引くかの2択だったが、幸いにもマーク・ホーマーという管理業務のパートナーと契約を結んでから、自分が苦手な（または嫌いな）タスクに価値を見出す人がいるのを知った。そういうタスクを愛し、それらを生業《なりわい》にしている人だ。目からウロコだ。

彼らは私にできないことができるだけでなく、私には手も足も出ないタスクが実際に大好きなのだ。自分が苦手なことをすべて外注できれば、自分が好きなことをもっとやり、その上でもっと経済を回せるのだ。

それまでの26年の人生で、それは考えたことも、教わったこともない手段だった。

最速で金持ちになる

レバレッジは最速で金持ちになるための、ビジネス、お金、人生の戦略だ。成功、自由、時間の保存の、真の近道といえる。大勢で少額を稼ぐのは、1人で高額を稼ぐよりはるかに規模が大きい。

考えてみてほしい。**1万人で1時間に10ドル（約1000円）稼ぐほうが、1人で1時間に1000ドル（約10万円）稼ぐよりはるかに効率的**だろう。

不動産経営ではじめて本物の仕事を始めたとき、ビジネスパートナーと2人でなにもかもをこなした。必死にがんばるべきだと信じていたからだ。コストを抑え、不景気に対応し、リスクを削減した。

ところが、店舗を出したばかりのときに、史上最大の不況と不動産市場の暴落が起きた。だが、今から考えると、もっと早くから、もっと多くのレバレッジをかけておくべきだった。

私は頻繁にこう尋ねられる。

「ロブ、今の知識を持ったまま、最初からやり直せるとしたら、きみは何を変える？」

私なら、見つけられる最高の人材を集めるだろう。

戦略、ビジョン、チームづくりにもっと力を注ぎ、退屈で難しい仕事を技術的には私たちよりはるかに優秀で資格のある人たちに任せ、その分の時間を解放することもできただろう。人を雇うほうが、自分たちですべてやるより支出を抑えることができた。われわれは倹約をしているつもりで、かえって自分たちに何千ドルもかかっているのに気づいていなかった。

これは私のセミナーの生徒やコミュニティメンバーの多くがいかに速く結果を出しているかに表れている。先を見越して早い段階でレバレッジを取り入れる人たちは、たちどころに成果を得るようになる。彼らの多くは今ではフルタイムの不動産投資家だ。

彼らの多くは9～18カ月で、（数）100万ポンド（約1億5000万円）の不動産ポートフォリオを構築している。また、同じ期間に月々の純受動的所得が3000ポンド(約45万円)、5000ポンド(約75万円)、1万ポンド(約150万円)、2万ポンド(約300万円)に達している。

彼らの大部分が今やミリオネアだ。以前の仕事をやめ、ほかの人たちを指導し、業界でも尊敬される専門家であり、社会へ還元し、さらなる収入源をつくっている。

ミリオネアになって失ったこと

1日に何時間働こうと、どれほど必死に働こうと、たとえどれほど効率的に働こうと、時間は24時間だ。

私がミリオネアになったのは30歳のときで、好きなことをする時間をつくるために自営業になったのに、忙しすぎて目が回りそうだった。

独立して1年、私とビジネスパートナーは20件ほどの物件を購入し、かなりのお金を稼いでいたが、逆にそれがさらにお金を稼ぐ足かせとなっていた。

私の息子が生後9カ月のとき、ある夜遅く帰宅すると、妻がこう言った。

「あなたが手がけているビジネスのことはすごいと思ってる。だけど、朝、あの子が起きる前に仕事へ出かけ、夜は眠ったあとに帰宅して——こんな調子で続けていたら、あの子は父親の顔をまともに覚えることもなく18歳になるわよ」

そう言われて私はムッとした。働き詰めだったのは家族にいい暮らしをさせたかったからだ。だけど、妻の言うことには反論できない。

週80時間働いてたくさん稼ぎ、ハードワークを勲章のように誇っているが、自分をすり減らして家族を犠牲にし、生活のために働いて、たどり着くことのないゴールを追いかけ続けている自分。

本当は、家からでも、世界中のどこからでもできる仕事をし、呼ばれたらどこへでも向かい、家族と過ごす時間がたっぷりあって、生活費は受動的所得でまかなう暮らしがしたかったのではないか？

このことがきっかけで、私はレバレッジ、システム、人材、プロセスについて学ぶようになった。

かつて自分たちで行っていた不動産管理は、賃貸住宅仲介業者へ委託することにしたあと、自分たちで別会社を起こし、その会社とパートナー契約を結ぶようにした。

かつては私自身が担当し、年間250回にものぼるイベントに登壇していた不動産経営の研修事業では、今では研修会社を設立して指導員100名以上を擁している。

かつては自分たちで不動産の見学・調査をしていたが、今では購入チームに一任している。

かつては小さなオフィススペースをひとつひとつ購入していたのが、今では大型商業ビルを丸ごと買っている。

かつては地域で指導していたが、今では世界中で指導している。

かつてはスタッフがひとりもいなかったのが、今では社内と社外に数百人のスタッフがいる。

かつては、週末に60ポンド（約9000円）稼いでいたのが、今では60万ポンド（約9000万円）を稼ぎ出せる。

かつてはなにもかも自分たちの知識に頼っていたのが、今ではメンターや専門家たちに助言をもらっている。

こういったことのひとつひとつは私だけの力、またはハードワークのみでは決して成し遂げられなかった。


ここからは、レバレッジをかけるべき5つの対象を見ておこう。

レバレッジ①「時間」は投資対象だ

「時間管理（タイムマネジメント）」などという概念は存在しない。時間を管理するのは不可能。時間はコントロールすることも変えることもできないのだから。

しかし、自分を管理することはできる。時間のつかい方、節約法など、目指すべきは時間を「保存」し、できるかぎりロスを減らして時間を「得る」ことだ。

時間はもっとも価値が高く、もっとも貴重で、刻一刻と減り続ける商品（コモディティ）だ。

自分に与えられた1分1秒を最大化しているか？
時間を増やし、活用する方法を常に考えているか？
この瞬間を味わい、楽しんでいるか？
感謝を持って今を生きているか？

私は散髪も会議中にやる。
私のビジネスパートナーがそれをおもしろがって、ソーシャルメディアにさらしたことがある。

私の言い分としては、月に二度散髪し、一度に30分かかるので、これを会議中にやればひと月に1時間節約できるということだ。97歳まで生きられるとしたら、60年で計720時間だ。私の1時間の価値が1万ポンド（約150万円）だとすると、その時間を投資すれば720万ポンド（約11億円）になる。

みなさんも同じように、時間を貴重な商品、あるいは投資対象として見てほしい。時間に関連するもっとも大切なレバレッジを3つあげよう。

RoTI（投資時間回収率）

「Return on Time Invested（投資時間回収率）」とは、時間をどうつかっているかを分析するためにつかう。

「この仕事はベストな投資時間回収率があるか？」と自問し続けよう。つかった時間に見合った、あるいはそれ以上のお金を手に入れることができているだろうか？　レバレッジのかからないタスクはどれも委託するか捨てるかして、大きな収益が見込めるタスクに絞っていこう。

TOC（時間機会コスト）

「Time Opportunity Cost（時間機会コスト）」とは、財政上であれなんであれ、現在のタスク、または費やされた時間のコストだ。

たいていの人はこれが何かを知らない（または見ていない）。というのも、彼らに見えるのは今やっていることの利益と不利益だけで、「やれていないこと」や、代わりに「できていたはずのこと」の利益と不利益は計算に入っていないからだ。

たとえば、1時間10ポンド（約1500円）で委託できる管理業務を、毎日3時間かけて自分で行うと、製品の売り込みにかけられる時間を毎日3時間失うことになり、それで得ることができていた利益は1時間当たり10ポンドを超えるかもしれない。

不動産経営の事務仕事に毎日3時間取られていたとする、しかし、その3時間は数万ポンドになるかもしれない新たな不動産取引を見つけるのにつかえたかもしれない。

単に「今、何をしているか」ではなく、「何をしていない」か、「本来、何をすることができたはずか」を、つねに考えよう。

ＲｏＴＩ（投資時間回収率）と同様に、２つのことをつねに自問してほしい。

「自分はどう時間を投資しているか？」

「自分の時間でほかに何ができていたか?」

NeTime(追加時間なし)

「NeTime(ネッタイム)」は「No Extra Time(追加時間なし)」の意味。

基本的にマルチタスクを実践しようとすると、一度にたくさんのことをやろうとしすぎて集中できない。どのタスクも中途半端になり、時間と頭脳のムダづかいになる。

NeTimeは「無理せずマルチタスクをこなす方法」だ。たとえば次のような方法だと、シンプルにできるだろう。

- 移動中、ジムで運動中、ウォーキング中などにオーディオプログラムを聴く
- 移動中に電話をすませる
- 移動中に起業のドキュメンタリーを観る(娯楽と学び)
- 可能なときには移動に電車を利用するか、車を運転してもらい、仕事をする
- 庭木の管理人、清掃員、料理人、クリーニング店、運転手、ベビーシッター、家事代行などにお金を払って仕事をしてもらう
- 休暇中に事業計画・ビジョンの立案をする、または講演先やマスターマインドの会合

先で休暇を取る
- ショッピング／旅行に出かけたついでに講座／イベントに参加する
- メンター／実業家と夕食をとる
- 社交的な催しをビジネスに活用する。

レバレッジ② あらゆる「資産」を見直す

システムを立ちあげ、ほかの人々にその管理を任せたら、業務から身を引き、手がけている資産管理はアウトソースする。これで、いよいよ利益を再投資するチャンスができた。多くのお金持ちが活用している主な資産のタイプをご紹介していこう。

- ビジネス（店舗・オフィスが存在するもの、オンライン上のもの、eコマース）
- 不動産
- 知的財産（アイデア、特許、使用権、情報、音楽）
- 投資（株、債券、コマーシャルペーパー〈訳注：CPと呼ばれる企業の短期社債にあたるもの〉）
- 貸金業

◎ 現物（貴金属、美術品、腕時計、ワイン、クラシックカー）
◎ パートナーシップ（フランチャイズ、ジョイントベンチャー）

レバレッジ・バランス

少ない担保と時間で、より多くのお金をつくるための金融的手段をご説明する前に、「レバレッジ・バランス」について触れておこう。

レバレッジが効きすぎ、市場の動きが小さい（または大きい）場合には、ネガティブ・エクイティ（ローンの額より不動産の評価額が下がること）になりかねない、あるいは、借入れ金の割合（LTV＝Loan to Value）が高すぎると金融機関などで判断されることもある（訳注：通常はLTVが低いほど安全性が高いとされる）。

当然、借り入れた分の埋め合わせができなければ、債権を回収されて資産を失うことになる。

反対に、レバレッジをかけないと、お金や資産を遊ばせていることになり、資本はインフレによって価値が徐々に下がってしまう。

「部分準備銀行制度」のレバレッジ

「部分準備銀行制度」とは、銀行が受け入れた預金の一部だけを留保し、残りは融資や投資に回すことである。留保された資金は現金として、または「準備預金」として銀行に保有される。この制度によって銀行は、「お金の借り手」と「お金を預けている人」の仲介人の役割を果たしているのだ。

銀行は、預金者（銀行にお金を預けている私たち）には即座の換金性を提供する（私たちが、いつでもお金を引き出せるということだ）一方で、借り手（銀行にお金を借りている人たち。企業やローン利用者など）に長期融資を提供している。

事実上誰もが、生産者も消費者も、当座貸し越し、個人融資、住宅ローン、クレジットカードといったさまざまな形態を通して、マネーサプライ（銀行をはじめとするさまざまな金融機関から経済全体に対して供給されるお金）という利益を得る。

金本位制のレバレッジ

近代のお金の歴史について少し触れておこう。

「金本位制」とは、ある国の貨幣価値を金（ゴールド）にもとづいて決める制度のこと。金が世界経済の共通貨幣であるようなものだ。

19世紀に採用が始まった制度だが、1971年以降、アメリカ政府が金と米ドルの兌換《だかん》を停止したことにより、今では先進国においての金本位制は完全に撤廃されている。

金の供給量にはかぎりがあるからだ。人類が誕生し、有史以来2011年までに採掘した金の量は、およそ16万5000トン。ウォーレン・バフェットによると、地上にある世界中の金を集めると、一辺20メートルの箱に収まるだろうという。世界中の金をかき集めても、たったこれだけしかない。

現存する金の量はかぎられており、今後発見される量も予測は不可能だ。このため、金取引の規模の拡大と成長は難しく、経済政策に与える影響が少ない。

金本位制の停止とお金の増刷なしでは、経済成長は停滞していただろう。

金本位制の停止が、お金の流通速度をいっそう上げ、仮想通貨などの技術革新をうながした。これこそ戦略的レバレッジの例である。

量的緩和のレバレッジ

「量的緩和」とは、中央銀行が市場に資金を大量供給するレバレッジ策で、批判もあるものの、経済を促進・成長させることが証明されている。

とくに不況時には、経済に流入するお金の量が増えることで、消費者の懐があたたかくなり、消費が増えるという理屈だ。企業も利益を上げることができ、投資が積極的になされ、雇用も増加する。

量的緩和はマネタリーベース（訳注：銀行が経済全体に供給するお金のこと）を増やすことで輸出を活性化させ、融資を促進する。

融資の増加は長期金利を引き下げる傾向があり、借り入れをうながすため、お金の流通速度が増す。銀行は資金が豊富になれば貸出基準をゆるめ、経済全体に送り込まれる融資がさらに増加する――というサイクルだ。

もちろん、ここにもバランスは不可欠だ。過度な量的緩和はお金の価値を引き下げ、中央銀行による権力濫用につながりかねない。

よい面は、インフレによってお金の相対的価値が下がるために、借り入れている側も実質的に負債が減る。量的緩和とは本質的に、レバレッジによる経済の活性化である。

銀行のレバレッジ

現金を不動産物件の手付金としてつかい、残りを銀行から借りる場合を考えてみよう。

銀行は資産価値の50～80％を貸しつけ、好況時にはそれを上回ることもあるだろう。

手付金が25％、銀行からの融資が75％の場合には、レバレッジは4倍だ。

ここで、1億円の不動産物件を購入し、2500万円を手付金で払い、7500万円を銀行からの融資でまかなうと、1億円の物件の価値が上昇した場合は、増加分がすべて自分のものとなる。

著者が住んでいるイギリスの場合、不動産価格は1952年以降、10年ごとに平均すると2倍になっている。

単純計算すると、10年後にはこの物件の価値は2億円になり、25年ローンで3分の1が返済済みなら、残高はおよそ5000万円だ。銀行融資のレバレッジにより、正味資産は10年間で2500万円から1億5000万円に上昇したことになる。これは当初資本の6倍だ。

物件をテナントに貸し出して賃料でローンを返済することで、さらにレバレッジ効果を上げられる。

賃料から銀行へ返済した残りは自分の収入となり、銀行から融資を受けて資産を所有、賃貸料で融資を返済、残りの賃貸料で生活と、実質的に三重のレバレッジになる。

さらに、経営・管理を自分以外の代理人に任せ、自分はもっとほかのことをすれば、4番目のレバレッジがかかる。

ジョイントベンチャーのレバレッジ

手付金の25%を用立ててくれる、または契約締結や担保探しの力になってくれるパートナーがいれば、それは強力なレバレッジになる。

不動産物件の購入資金の一部を貸金業者から、残りを銀行から融資してもらうこともできるだろう。またはジョイントベンチャーのパートナーから資金を全額出してもらうこともできるのだ。私はビジネスパートナーと商業用物件を購入して42の区画に分割した。

購入資金はビジネスを通して知り合い、友人になった個人投資家に全額融資してもらった。購入費は彼が出し、ビルの開発は銀行が融資、私とビジネスパートナーは42区画を共有し、賃貸に出した。

隣接する物件も購入ずみで、これから12から20の区画に分割する予定だ。

総収益は年間およそ36万ポンド（約5400万円）を見込んでおり、その資金は100%ほかの人に出資してもらった。

契約のレバレッジ

あらかじめ決められた期間内に（不動産）資産やビジネスを買い取る法的権利を得るオプション契約は、レバレッジ効果のある契約になりうる。

たとえばこういうことだ。

かしこい起業家は不動産物件の「一括借上げ（サブリース）」を利用している。購入する代わりに、部屋数の多い大型物件をオーナーから借上げ、それを個別のテナントに転貸して、複数の賃貸収入を得るのだ。

要するに仲介人であり、オーナーは賃貸物件に借り手がつくので喜んで貸し、こちらはオーナーに賃料を払う一方、賃貸収入を数倍化できる。

1カ月分の賃料とわずかばかりの手数料で、1世帯向け住居から2000ポンド（約30万円）以上の総収益が見込め、しかも初期投資はほとんどなく、きわめてレバレッジ効果が高い。

しかし、「一括借上げ」のデメリットは、自分に資本の支配権がないことだ。そこで、頭のいい人なら、資本増加のために「一括借上げ」で、「将来物件を買い取るオプション」契約条件をつけて、二重にレバレッジをかけるだろう。

レバレッジ③「しくみ化」して、生産性を上げる

「しくみ」は自動化を生み出す。自動化できれば、そこで働く個人の才能の有無に頼らなくてもよくなる。技能はあるがコストの高い人材への依存をなくすことができるし、技術を持った専門家や、人の経験や記憶だけに頼った仕事を減らすこともできる。

生産性と効率性を最大化する、もっともシンプルで最短・最速の方法だ。

ビジネスを体系化する

ビジネスを体系化し、日常業務のわずらわしさを解消する方法がある。

○ ステップ1　あなたの知識を必要とすることをすべて書き出す。箇条書きにするかマインドマップを描く。

○ ステップ2　（セールス、マーケティング、事業計画、ビジョンなどに関して）自分がふだん口

にすることをすべて細かいところまで録音しておく。

◎ステップ3　毎週火曜日に録音した音声の書き起こしをスタッフに依頼し、ステップ1の箇条書きもしくはマインドマップと合わせて、ページ番号、画像、インデックスつきのマニュアルにする。

◎ステップ4　金曜日の午後3時までにマニュアルを送ってもらい、誰でも内容を理解して指示に従えるかを確認後、フィードバックをスタッフへ送り返して修正してもらう。

◎ステップ5　できあがったマニュアルを部分的に週に一度、全体を月に一度読み返す。あなたについてなにも知識がない人が読んでも、このマニュアルにしたがって代役を務められるだろうか？　順序よく、整理され、簡潔であるよう、必要な修正を加える。

◎ステップ6　事業の成長に合わせ、チームメンバーも同様のマニュアルを作成するよう指示する。チームのマニュアルは各マネージャーに担当させる。最大のレバレッジ効果を得るには、マニュアルの作成からフィードバックまで、自分のスタッフに任せよう。

この「アプリ／ソフトウェア」で効率化

仕事を効率的に管理できるアプリも、組み合わせてつかってみてほしい。

- カレンダー／ダイアリー
- 「ドロップボックス」「グーグルドライブ」などの、クラウド・システム
- ソーシャルメディア
- CRM（顧客関係管理）システム
- インターネットバンキング
- eコマース（アップルペイ、ペイパル、クレジットカードアプリなど）
- オーディオプログラムと電子書籍
- オフィス用ドライブ／サーバー
- パスワードプロテクション（パスワードをすべて管理するアプリ）
- スマートリモコン（家庭とオフィスの自動化とセキュリティシステム）
- 「トレロ」など、タスク管理ツール

◎「エバーノート」など、資料管理・共有アプリ

チェックリストを設けて、定期的に問題解決に当たろう。

手順を簡潔化・短縮化できる方法はないか？　レバレッジやスケールメリット（規模が大きくなるほど得られる利益）を生み出す方法は？

月に一度は時間を設け、ビジネスのＫＰＩ（主要業績評価指標）、会計帳簿、損益計算書をすべて照合・分析してはどうだろうか。

お金は案外すぐそばに隠れているものだ。大きなビジネスを手がけている人に一緒にチェックしてもらうのもいいだろう。

そして、これは重要なことだが、必要なのはレバレッジと自動化だけでない。なにより大切なのは、「決定をチームの主要メンバーにゆだねること」だ。

重要な決定を任せないかぎり、彼らは絶えず上司であるところのあなたに、確認を取らなければならない。それでは自分ひとりでやるのと変わらないではないか。

優秀な人材を雇い入れ、彼らの背中を押そう。彼らが失敗してもいいのだ。彼らを支えることが重要で、支配をしようなどと考えてはいけない。彼らに道を空けてやれ！

レバレッジ④「スタッフ」という大きな宝物

人を活用するということは、彼らを召使いにすることではない。

多くの起業家は(私自身も含め)、人々が「自分のために働いている」という誤った考えを持つ。「賃金を払っている」のだから「こちらの言うとおりにするべきだ」というわけだ。

それでは子どもに親の言うとおりにするロボットになれ、と命ずるのと変わらない。

上司として「俺がきみの上司だ(だから従え)」と一度でも言ったことがあるなら、信頼関係はすべて失われて、反感を抱かれるのがオチだ。

人をレバレッジとして活かすには、まず自分がはっきりとしたビジョンを持ち、リーダーシップを示して彼らを導き、希望と信念を示し、収入と保証を提供しなければならない。

彼らは価値ある大切な仲間である。人から得られる最高のレバレッジは信頼関係だ。

小さな事業を拡大するときに起業家はみな壁に突き当たる。

「自分のほうがうまくやれる」「スタッフを雇うゆとりがない」「スタッフは必要ない」「必死になって働いているように見られなくては」などと考えるからだ。

「ウォルマート」の創業者サム・ウォルトンが、はじめて雑貨店を開いたとき、まさにそうだったが、彼が創業したウォルマートはいまや200万人を超える従業員を抱えている。「アップル」を創業した2人のスティーブ（ジョブズとウォズニアック）は、ジョブズの実家のガレージでマザーボードを組み立てた。ジョブズが亡くなったいまもアップルの革新は続いている。

1954年、ディックとマックの兄弟はマクドナルドの1号店をオープン。1年後、実業家レイ・クロックのすすめで、はじめてフランチャイズ化に踏み切り、2015年には従業員数190万人、1日の売上げはいまやおよそ7500万ドル（約7・5億円）に達する。

これを読んでいるあなたはここまで事業を拡大するつもりはないにしても、彼らはみんな1人目の従業員からスタートし、人を雇うことと事業の拡大を多かれ少なかれ案じたはずだ。

レバレッジ⑤　「アイデア」と「情報」がすべて

すべてのお金はアイデアから生まれ、すべてのレバレッジもアイデアから生まれる。

サラ・ブレイクリーという女性起業家は、ストッキングの足の部分を切ってみたのがヒントとなり、1998年に矯正下着会社「スパンクス」を誕生させた。

彼女は最初の3カ月で自分のアパートメントから5万着を販売している。いまでは彼女の「クレイジーなアイデア」は大ヒット商品に成長し、世界中で販売されている。

2012年には『フォーブス』誌の長者番付にランクインし、会社の総収益は2億5000万ドル（約250億円）をわずかに下回ると推定された。

ジェニファー・テルファーが「ピローペット」のアイデアを思いついたのは、幼い息子がぬいぐるみを押しつぶして枕にしているのを見たときだ。

彼女がつくった枕型のぬいぐるみは爆発的に売れ、2010年の売上げは3億ドル（約300億円）に達した。

家族が経営するプラスチック製造工場で働いていたジョエル・グリックマンは50歳のときに、切ったストローをどうすればつなげられるかと考えた。ここから知育玩具「ケネックス」

（訳注：組み立て式のおもちゃ）の着想を得たものの、「ハズブロ」「マテル」といった大手玩具メーカーからは見向きもされず、グリックマンは工場の一部を閉鎖して、みずから玩具製造に乗り出した。

1993年に発売を開始すると、玩具量販店「トイザらス」の創業者から、ここ数年で最高の玩具と絶賛され、4年後、「ケネックス」の売上げは1億ドル（約100億円）にまで伸びたのである。

アイデアをレバレッジするステップ

1 問題を発見、言語化する
2 問題を課題に変える
3 ブレインストーミング後、アイデアを採用する
4 アイデアを練り、解決策をつくり出す
5 解決策をキャッシュに変える

ステップ1の問題が大きいほど、ステップ5で得られるキャッシュも大きくなる。問題の規模が大きすぎて、世界中の人が手を出せないでいるときこそ、イノベーターは、キャッシュ／結果／成功が大きくなるのを見越し、腕まくりをして課題に立ち向かうだろう。

今はかつてない速さで、世界中どこにいても、誰からでも学び、誰にでも教えることができる。

「情報を売ること」は最大のイノベーションであり、さらなる成長が狙える産業だ。この産業は世界全体で1000億ドル（約10兆円）以上の価値があり、1年で32・7％成長している。

今やほぼすべての情報はデジタルだ。たった1分ごとに、4700個のアプリがダウンロードされ、8万3000ドル（約830万円）の売上げがあり、6万1141時間分のオーディオプログラムがダウンロードされ、新たなツイートが10万件なされ、600万件のフェイスブックページビューがあり、30時間分の動画が投稿され、130万件の動画が視聴されている。

資本金は必要なく、制作できる量にも限界はない。

「少ない努力」で「大きな成果」を上げる

1906年、イタリアの経済学者ヴィルフレド・パレートは、自国の富の偏在を示す数式を編み出した。

数式によると、**20%の人々が、国家の80%の富を有している**という。

これは1940年代終わりにジョセフ・M・ジュラン博士により**「パレートの法則」**と名づけられ、経済学以外の分野でも適用されるようになった。

かいつまんでいうと、「パレートの法則」とは物事の分布には偏りがあるという見方だ。

実際の例をあげてみよう。

- 20％のインプットが80％の結果を生む
- 20％の労働者が仕事の80％をやっている
- 20％の顧客が売上げの80％を生み出す
- 20％のバグが、コンピューターがクラッシュする80％の原因となる
- 20％の機能が、使用される機能の80％を占める
- 80％の価値が20％の努力で達成される
- 80％の富は20％の人々に所有される
- 苦情の80％は顧客の20％から来る
- 売上げの80％は、20％の商品、または顧客によりもたらされる
- 支出の80％は諸経費の20％により発生する

のちに経営コンサルタントのリチャード・コッチが『人生を変える80対20の法則』（CCCメディアハウス）を著し、「80対20の法則は極めて効率の高い人々、組織の偉大な秘訣のひとつ」と述べている。

「パレートの法則」を現代に当てはめ、非生産的な過重労働の時代に、より少ない努力でより大きな成果を上げる方法を、コッチはこう記している。

◎一部のインプットが大部分の結果を導く
◎もっとも大きな満足感を生み出す活動に焦点を当てる
◎人の活動の大半は価値が低い――残念な結果を生み出す努力の80％をなくすか減らすかする
◎一部の原因が大部分の効果を生み出す
◎少数がカギを握る――80％の結果を生み出す20％の努力を特定し、その上に積み上げる
◎ビジネスでは、もっとも収益を生む商品と顧客に焦点を当て、ほかは最小限に抑えるかカットする
◎一部の決断が大半の結果を生み出す――仕事、負債、投資、人間関係を選択する
◎努力の増加で報酬が増加するわけではない――重要なことのみに集中し、ほかには目を向けない

私の経験では、この原則は驚くほど正確だ。くり返しになるが、同じ1時間でもその価値は決して同じではない。

多くの人々はやり方を間違え、ハードワークとフラストレーションの末に、なかなか結果

を出せずにいる。この法則の驚くべき正確さを示す一般的な例をあげよう。

◎アプリの20％が使用時間の80％を占める
◎80％の衣服は着用する機会が20％しかない（値札がついたまま服がクローゼットに眠っている場合さえある！）
◎体毛の80％は20％の場所に生えている（はげていてもそれは全身の20％でしかない）
◎幸福感の80％は活動の20％からもたらされる（不満もこれと同じ）
◎カーペットのすり切れる部分の80％は、表面の20％の部分に集中する
◎車のエンジンの摩耗の80％はエンジン全体の20％の部分に集中する
◎キーボードの摩耗の80％はキーの20％に集中する
◎株式ポートフォリオのリターンの80％は投資の20％からもたらされる……

80対20の法則はハードワークを奨励するものではなく、労力の注入先を選択し、効率性を徹底的に追求するものだ。

時間を最大限に保存し、1時間当たりの給与・価値を最大限に高めて富を生むのだ。
第5章では「お金と時間の関係」を解説し、全収入源からの1週間分の収入を合計して、

労働時間で割ることでIGV（収入創出価値）を算出した。

式にするとIGV＝総収入（週）／労働時間（週）で、1週間の総収入を10万円、労働時間を55時間とした例では……

10万円／55時間＝1時間当たり1818円となる。

これに80対20の法則を当てはめ、収入の80％は20％の時間から生まれるとすると（またはその逆）、IGV計算はがらりと変わる。

IGVの20％＝（総収入〈週〉×80％）／（労働時間〈週〉×20％）、つまり、8万円／11時間＝1時間当たり約7272円

1時間当たりの収入は、時間の価値を均等にとらえたIGVの4倍になる。

これを20％の収入しか生み出さない80％の時間のIGVと比較するとさらに衝撃的だ。計算してみよう。

ＩＧＶの80％＝（総収入〈週〉×20％）／（労働時間〈週〉×80％）、つまり２万円／44時間＝１時間当たり約４５４円

労働時間のたった20％で、残り80％の時間の16倍稼いでいる計算だ。

さらにこの計算に複利効果を加えてみよう。価値の低い80％のタスクをアウトソースし、価値の高い残り20％のタスクの量を倍にして自分でやると、こういう結果になる。

- 価値の低い80％に属する全時間／仕事の60％をアウトソースする
- １時間当たり１５００円かかるとして（33時間×１時間当たり１５００円）、コストの総額は４万９５０００円
- 価値の高い20％に属する仕事にかける時間、または仕事の量を倍にする（22時間×１時間当たり７２７２円）。総収入はおよそ16万円
- 労働時間の残り60％は自由につかえる
- 55時間で10万円の収入だったのに対し、22時間で11万１０００円の収入になる
- つまり、週当たり労働時間は33時間減り、収入は１万１０００円アップする
- １年にすると、１７１６時間減って、約57万２０００円の増

◎10年で、1万7116時間減、572万円の増
◎50年で、5万3500時間減、2860万円の増
◎5万3500時間は6年と42日

この計算は単純に考えすぎていると批判を受けたことがある。

まったくそのとおりだ。しかし、これは自分の人生だ。

人生の時計ははるか昔にカウントダウンを始めていて、残り時間はこれまで消費した分より少ないかもしれない。その時間は、大事にされるだけの価値があるのではないか?

これがお金持ちの認識だ。

彼らは時間を貴重なものと見なし、それを投資することで富を築く。そうするのも、そうしないのも、同じくらい簡単だ。

自分のやりたいことで人生を満たさなければ、ほかの人たちに時間を奪われてしまうだけである。

人の役に立たねば、お金は集まらない

自分自身を見出す一番の方法は、他者への奉仕に没頭することだ。

マハトマ・ガンジー

富を築き、維持する上で気をつけるべきことが3つある。私はそれを「3つのケア」と呼んでいる。

1 人へのケア

自分なりのやり方で（大勢の）他者へ奉仕することで、人それぞれ比類のない価値を持つ。他者の役に立つほど、他者のために多くの問題を解決するほど、その問題が大きいほど、人生には多くのお金と価値がもたらされる。

ビル・ゲイツのビジョンは「自分のデスクの上に置くパーソナルコンピューターを1台つくる」でも、「ポリオ患者1人を治療する」でもなく、もっと途方もないものだった。

「モノを売る」ことは、他者へ奉仕することで、買い手が求めるものを「公正な交換」のもとに与えることだ。相手のことを考え、有用性と価値のあるものをお金（もしくは報酬）と交換に与えることだ。相手にとってもっとも大切なものを発見し、それを与えることだ。

サッカー選手はゴールを決め、アシストし、またはゴールを守ることでチームに貢献し、それに見合った報酬を得る。理由もなく週に35万ポンド（約5250万円）も支払われているわけではない。

貢献度が増せば、ほかのチームも彼を求め、高い移籍金を払い、年俸アップを約束するかもしれない。

この点において、サッカー選手だって私たちみんなと同じ、セールスパーソンだ。売らなければ、なにひとつ始まらないのだから。

ときに高い年俸をもらう者に対する、ねたみの声が上がることがあるが、私はこれにうんざりしている。球を蹴って走り回り、審判に文句をつけていればいい暮らしができると思うのは勝手だが、サッカー選手は公正な取引で他者へ貢献しているにすぎない。

彼らはゲームに出てベストを尽くし、自分たちの価値に見合う分を稼ぐ。それ以上でも、それ以下でもない。2015年には、世界中で7億人がマンチェスター・ユナイテッド対リヴァプール戦を観戦していたのである。

トップクラスの選手であれば、子どもたちに「自分もプレーをしたい、いつの日かあんなふうに上手になりたい」と強烈な憧れを抱かせる力だってある。

彼らは彼らなりのやり方でサッカーを売り込む、最高のセールスパーソンだ。

優れた選手には年俸以外の収入も入るだろう。スポンサー契約、広告収入、自身のブランドなどからの収益、さらにはソーシャルメディアへの投稿さえ大きな収入源となる。経済学ではこれは「周辺業務（マージナルサービス）」と呼ばれる。

クリスティアーノ・ロナウドはSNSへの1投稿につき30万3900ドル（約3039万円）

の収入があるといわれている。

当然、彼らは起業家と同様にリスクを負って不確かな職業を選んでいる。たった一度のケガで選手人生が終わりかねない職業なのだ。

自身の価値が下がれば、途端に報酬も下がる。問題が明るみに出るや、タイガー・ウッズとランス・アームストロング（訳注：ツール・ド・フランスで連覇したが、のちにドーピングで全タイトルを剥奪された）の身になにが起きたかを考えるといい。スポンサーからは契約を打ち切られ、マスコミからは大バッシングされ、ファンは一瞬で離れていく職業だ。

ここで、さまざまな分野、さまざまな規模で世の中の役に立ち、問題解決を図っている人々と企業の例を挙げておこう。

- ハンス・ラウジングは「テトラパック」社の創業者の息子だ。純資産100億ドル（約1兆円）超。もっとも有名な発明は紙をポリエチレンでラミネートした牛乳パックだ。
- ポスト・イットは年間およそ10億ドル（約1000億円）の収益を「3M」にもたらして

いる。ポスト・イットは1968年に偶然「発明」された。

◎イギリスの美容師ケン・モデストゥがブルネイ国王のヘアカットでもらう報酬は2万3000ドル（約230万円）だ。ロンドンから東南アジアへの旅費は別途支給。セレブリティ御用達の美容師の多くは1回の「カット」につき400ドル（約4万円）から1600ドル（約16万円）を請求する。

◎シンプルなコンピューターパズルゲーム「テトリス」の累計販売数は1億本。

◎実業家ロマン・アブラモヴィッチが所有するスーパーヨット「エクリプス」の建造費は4億5000万ドル（約450億円）から12億ドル（約1200億円）のあいだといわれている。乗組員70人、客室24人分、ヘリパッド2つ、潜水艦1艇つきである。

◎医師のウィリアム・フィージが打ち出した世界規模の戦略は天然痘根絶へつながり、推定1億3100万人の命が救われた。彼はポリオ撲滅を目指すビル＆メリンダ・ゲイツ財団の医療顧問を務めた。

彼らが奉仕・解決した方法をまとめるとこうなる。

- 大勢のために小さな問題を解決する
- 少数のために大きな問題を解決する
- 小さな問題をくり返し解決する
- 大きな問題をくり返し解決する
- 慈善のために奉仕する
- 物質的に奉仕する
- エンターテインメントを通して奉仕する

2　自分へのケア

他者への奉仕のみに専念し、自分を顧みないでいると、自分の取り分が減って、自身の価値を維持できなくなる。

人は、高い代価を請求する者には、それだけの価値があるものと見なすものだ。価格と価値の両方が上がれば、売上げも上昇する。より質の高い顧客を引き寄せ、よりよい評判が広まり、自己価値が高まる。そのために、自分への投資を惜しまないようにしよう。

自分の仕事に価値を認める質の高い顧客が必ずいるのだから、自分の価値を認めてくれる人たちのそばにいよう。

ただ、ありのままの自分を世の中に示し、自分だけが持つ才能を利益に変えるだけでいい。

3　お金へのケア

お金を敵視してはいけない。お金と相思相愛になることを自分に許そう。お金を愛し、つくり、分かち合い、なんならお金を浴びてもいいのだ。

自分のお金、利幅、利益（と損失）にしっかり目を光らせること。いつもお金を意識し、罪悪感と羞恥心を捨てること。

お金があなたや人々に与えてくれるものを愛そう。「いいこと」につながるよう、お金をつかおう。お金の知識や、お金との関係を、育てて向上させよう。そしてそれを自分の子どもや仲間たちに教えよう。

売上げを上げるための8つのステップ

より少ない努力で売上げが自然に伸びる「8つのステップ」をここに紹介しておく。

1　あいさつと自己紹介が肝心。笑顔で自己紹介しよう。第一印象は最初の3〜5秒で決定する。声、服装、アイコンタクト、態度、気づかい、自信が大切だ。

2　信頼関係（ラポール）を築く。相手との共通点は絆《きずな》を形成する。相手の生活について尋ね、共通の話題を見つけるのだ。聞き上手になり、相手に心から関心を示そう。

3　相手のニーズを特定する。相手がもっとも、または今すぐ必要としているものは何か？　どんな解決策が相手には重要か？　相手の生活に欠けているもの、または相手が抱えている問題を見つけ出そう。
セールスを拒絶される回数は、相手のニーズ、または相手が困っていることを、どれほどしっかり把握しているかに反比例する。

4　相手のニーズを確認する。表面的なものの下に隠れている、根本的なニーズを確かめること。当て推量は禁物だ――必ず相手に明言させること。

5　価値をつくり出し、提供する。相手の問題への解決策となるよう、相手に価値を合わせる。相手が求めているものを与えることで、オファーを断れないようにしよう。購入する余裕がない、時間がない、欲しくないと言われたら、それは相手の観点から価値を提示できていないのだ。
この場合には、ニーズをより明確にし、価値を具体的に伝えよう。「資金の余裕がない」というのは断る口実で、相手にないのは求める気持ちと動機だ。動機を提供すれば、相手は資金を見つけてくる。

6　取引を成立させる。販売し、代金を請求する。あいまいな言葉や暗黙の了解ではダメだ。取引条件を明確にすること。予約を確定し、クレジットカード情報を得て配送と支払い手続きをする。相手任せにしてはならない。

7　サービス、ケア、価値を提供する。約束したサービスを届け、その後もうひと押しする。

販売後に電話やメールでアンケートを取り、サービスや商品を具体的な価値と結びつけるのだ。対価が支払われたあとも取引は続いていると心得よう。

8 紹介とフィードバックを求める。価格以上の価値を届け、熱烈な顧客がついたら、将来の顧客になりうる人を紹介してもらおう。

1人当たり3人紹介してもらうといいだろう。また、自分が提供したものへのフィードバックをもらい、改善すべきところを尋ね、問題があれば解決する。

起業するか、組織で働くか?

法にのっとった形で、持続的に稼ぐ形態はおもに3つある。

従業員、起業家（自営業／フリーランス）、企業内起業家（社員でありながら自主性を持つ）だ。

それぞれにメリットとデメリットがある。

ビジネスの世界では従業員や企業内起業家を見下す向きもあるが、それは近視眼的な見方だ。自身がどんなタイプの人間で、どんな知識、経験、リスクプロファイル（訳注：自身が持つリスク）があるかをじっくり考慮し、自分に合っているもので稼ぐべきだろう。

従業員として働く

従業員として働くメリットは、相対的な保証、安定した収入、チームで働く環境、研修・支援、年金、病気・出産などの際に利用できる制度があること、キャリアを積む道が明確で実証ずみであること、大学卒業後すぐに稼げること、退職までの道が確立していること、などだ。

大企業で働くことができれば、これらすべての恩恵を受けながら大いに学び、上級職になって高い給与を得ることもできるだろう。自社株を保有して大金を稼ぐことも夢ではない……。

しかし、そこまでのぼりつめるには何十年もかかることもある。昨今では、給与の低い仕事では雇用の保証も当てにならない。リーマン・ショック後には大勢が職を失い、年金が消えた。定年はどんどん延長され、いずれは100歳を超えかねない！

一部の職では従業員であるメリットが減った。だがデメリットは変わらず、雇用不安の埋め合わせに給与が3割アップしたわけではない。多くの人々は副収入を得る道を探し始め、それが起業家になる後押しをしたケースもある。

そこで、私の考えるレバレッジの方法をつかって、優れた従業員として最短でキャリアアップする方法を探ってほしい。

従業員がレバレッジ効果を利用する方法

社員として何を得られるのかを考えるのはやめ、自分の利益と雇用主の利益のバランスをきっちり図ろう。

組織にとって必要不可欠な存在になれば、必ず昇給・昇進する。たとえ会社があなたの価値を認めなくても、誰かほかの人や組織が認めてくれる。

○　マネージャー、上司、雇用主が価値を置くものを見つけ出す
○　自分が行うことのできるKRA（主要成果領域）で、会社のビジョンにもっとも　大きく貢献できることを考える
○　手持ちの仕事以外に、やりたい仕事をする
○　自分の貢献を月に一度は上司に報告し、フィードバックをもらって改善する

○収益を生み出すアイデアを会社へ提案し、収益の配分を求める
○コスト削減のアイデアを会社へ提案し、削減された分の配分を求める
○自分のKRAとレベニューシェア（収益の分配）に合わせるため、会社の明確な長期目標、短期目標、スケジュールを確認する
○期待以上の結果を出す
○効率的に時間を管理し、最大限の効果を上げる
○顧客に奉仕し、大切にする

起業家（自営業／フリーランス）として働く

本書における起業家（アントレプレナー）とは、「自分のために働くこと」を意味する。最大のデメリットはリスクが大きいことで、それゆえ報酬も大きい。すべての責任はあなたにあり、会社組織の中に身を隠すことはできない。

より幅広い専門知識や技能を必要とするだろうし、ほぼ収入なしに、諸経費だけはかかる状態が数カ月以上続くかもしれない。スタート時点では、自分の寝室とインターネットがあ

るだけのわびしい起業になる可能性もある。

アイデアをくれるチーム、コーポレートカルチャー（企業文化）もなく、サポートしてくれる人はいない。社内政治の駆け引きがない一方で、自分で自分を管理する必要がある。上司が会社の予算で研修プログラムを受けさせてくれるわけではない。

病気や出産のときの補助はないし、従業員が利用できる制度もない。まあ、自分が起業家になれば、少なくとも病欠は減るくらいである。

さて、デメリットをすべて吐き出したところで、じつのところメリットは驚くほどたくさんある。

みなさんもそうかもしれないが、起業家にしかなれない人がいるものだ。

私は雇われて働いたのは二度だけで、それとは別に父から雇われ、三度解雇された――正直言って、100％従業員向きではないと断言できる。

チャレンジを愛し、リスクが大好きだ。それに、自由を愛し、なにかをつくり出し、心血を注いで大きなことをやる高揚感がたまらない。なんでも自分がリーダーシップをとりたいし、人から命令されるのは耐えられない（ただし、家庭内はのぞく）。

そもそも起業家として働くリスクは、どんどん減ってきている。歴史上かってないほど世界はつながっているし、政府は起業家を必要としている。

事業を営むことで、税金と雇用を通して行政に大きく貢献し、インフラ、運輸、医療、消防署、警察、さらに多くが、企業から大きな支援を受けている。

たとえば、イギリスでは買い物をするとほとんどの商品に現在20％のVAT（付加価値税）がかかる。事業用資産の固定資産税、従業員の国民保険（あなたに雇われている従業員も国民保険を支払う）、法人税、取締役としての個人税、キャピタルゲイン税、その他の税を払い、従業員もそれぞれが個人税を支払う。

大成功を収めた起業家に難クセをつける人の多くは、その事業が地元経済に多くの収益と支援をもたらしていることを理解していない。

次にあげるのは、どれも起業リスクを減らし、利益を上げ、事業を保護してくれる重要なファクターだ。

- 有限責任構造により、リスクを負い、リスクがかかるのを個人ではなく、会社に限定することができる
- 法律により独占が規制されている

- 寿命がどんどん伸びている
- 利子を下げる政府の力
- 紙幣を増刷する政府の力
- 累進課税による減税
- イノベーションが奨励されている
- 起業家はコストを補ったあと最後に課税される。従業員は源泉徴収される

企業内起業家として働く

従業員と起業家のハイブリッドが「企業内起業家」だ。

これは従業員に与えられる保護と保証を、起業家が持つ自由と自主性に組み合わせたものだ。

労働時間の制約がゆるくなる、もしくは在宅で働くことができ、タスクではなくプロジェクトを与えられる。自立とリーダーシップのチャンスを得ることができる。

今では多くの進歩的・革新的な会社が、成長する手段として企業内起業家を歓迎しているし、優れた人材は企業間での奪い合いだ。企業内起業の機会を与えることで、優秀な人材が

集まってくる可能性も高まる。

名目上は従業員となっていても、私のチームの多くの人はそれぞれeコマースビジネスや不動産投資を立ち上げている。

プロジェクトや部署を立ち上げたい、または生産性を上げるためにもっと自由が欲しいと申し出てくる者がいれば、私はめったに反対しない。起業家としての彼らの潜在能力を成長させることで、パートナーシップに近い関係が築かれるし、また、彼らはゼロから始めてリスクを負うことなしにチャレンジすることができる。

なかには辞職して自分で起業する者も出てくる。彼らのために扉を開けてやったのにと、はじめこそうらめしく思ったものだが、成功した多くの起業家の第一歩を支えられたことを今ではうれしく思っている。

企業内起業家がレバレッジ効果を利用する方法

企業内起業家として成功する方法を紹介しておこう。

◎マネージャー、上司、雇用主が価値を置くものを見つけ出す
◎自分が行うことのできるKRA（主要成果領域）で、会社のビジョンにもっとも大きく貢献することは何か、考える
◎プロジェクト、ベンチャー、会社のリーダーシップを取る
◎新たな機会やベンチャーを雇用主に提案し、収益の配分を求める
◎コスト削減のアイデアを会社へ提案し、削減された分の配分を求める
◎会社への自分の貢献を月に一度マネージャーに報告し、フィードバックをもらって改善する
◎自分のKRAとレベニューシェアに合わせるため、会社の明確な長期目標、短期目標、目標達成までのスケジュールを確認する
◎期待以上の結果を出す
◎経営管理、リーダーシップ、人事、マーケティングなど、起業に必要なすべてを学んでおく
◎効率的に時間を管理し、最大限の効果を上げる
◎休みを取るために勤務時間外に働く
◎つねに顧客に奉仕し、大切にする

アイデアを分かち合い、提案を出し、会社を成長させる方法を探すことを恐れてはいけない。もしそれに抵抗があるなら、やはり従業員として働くか、誰かビジネスパートナーが必要なのかもしれない。

「価値」と「価格設定」という大問題

多くの人にとって、価格設定と価値は、「卵が先か鶏が先か」という議論になりかねない。自己価値が低ければ、設定価格も低くなるが、価格が高すぎれば、売上げは落ち、自己価値も下がる。

商品の価値を上げれば、利幅が減る。価格を上げれば、受け取り側にとっての商品価値が下がり、わずかな顧客さえも失う。さて、どうする？

値段を上げても誰も気にしない

私はみなさんに、今すぐ価格を5～20％上げることを強くおすすめする。5％はインフレ率をカバーできる程度、10％はわずかな利益、20％で利益の増加分の一部をサービス向上に再投資し、一部を自分自身と株主への公正な利益とすることができるようになる。小規模の新しい事業で、動きが大きい市場であるほど、これは簡単だ。

価格の10％の上下は多くの人にとって許容範囲内である。たとえ自分の株式ポートフォリオが10％上昇しても、狂喜乱舞はしないだろうし、10％下がっても、やはり頭を抱え込みはしないものだ。

価格や利益、損失で10％の揺れは、強い感情を引き起こすことなしに、案外あっさり受け入れられるものである。だから今すぐ価格を10％上げてほしい。

顧客を失うことや、苦情、人の意見を気にして、価格の引き上げに二の足を踏んではいないだろうか？　これはよくある懸念だ。それが心配でないなら、みんな価格を引き上げていいるはずではないか？

しかし、「ロレックス」は値上げをしても売上げに響くことはないようだ。今この原稿を書いている時点で、一部商品の11％の値上げが発表されている。

それに加えて「スカイドゥエラー」などの超高級モデルが売り出され、最上位（フラッグシップ）ウォッチのひとつである「デイトナ」の位置づけはさらに引き上げられた。

２００８年に私がはじめて購入した「ロレックス」の「デイトナ」は、３年落ちのオールスチールモデルで、ちょうど５０００ポンド（約75万円）を超える価格だった。たった8年後にはデイトナの新モデルの３年落ちは、およそ１万２００ポンド（約１５３万円）で取り引きされている。

価格の引き上げをまだためらっているなら、徐々に価格を上げてはどうだろうか。

価値（商品のクオリティ）を高めるのもいい方法だ。自分の提供している商品、サービスを分析し、やり方を検討しよう。

◎ よりよいサービスを与える。ただ値上げをすることに抵抗があるなら、先に価値を高めよう。ただ、高価値にこだわりすぎて、利幅と公正な取引が減ったり、逆にコストがかかりすぎたりしないよう注意すること。２～５％の追加コストで価値を10％上げれば、誰にも気づかれず10％以上の値上げを維持できる。

◎配達を速くする、簡単にする、そしてよりよくする。人は手間を省くために喜んでお金を出す。速く、簡単で、省ける手間が多いほど、顧客の財布のひもがゆるむ。

◎追加コストがほとんどかからない特典をプラスすることで、顧客から見た商品価値を高める。方法はいくらでもある。

たとえば、ホテルで枕の上にチョコレートを置くサービスや、新車購入時についてくる無料のフロアマット、お金を払ったときに、レシートにウエイトレスが書き込む「ありがとうございました」のメッセージ。

たとえばオンラインソフトウェアなら、商品の限定版を出す手もある。

「オーデマ・ピゲ」は男性向けの腕時計「ロイヤルオークオフショア」の限定モデルを出しているが、同じ時計を少し変えただけで、価格は1・5倍だ。

◎パッケージを見直す、または「魅力的」にする。「アップル」製品は、パッケージが製品に負けず劣らず美しい。まるでクリスマスプレゼントを開けるように、わくわくするものだ。パッケージが与える印象は、顧客にとっての中身の価値を押し上げる。これはワインや食べ物の銘柄を伏せて行うブラインドテストの多くで証明されている。

◎「フリーライン」を動かす。顧客が無料で簡単にすばやく情報にアクセスできるようにすると、大きな見返りを期待できる。先に多くを与えるほど、あとで返ってくるものは大きい。

フリーラインを動かすとは、これまでよりも商品価値を顧客へ先に与え、最初の購入の前に信用を築くことを意味する。先に無料で提供できる商品や情報はなにかないだろうか？

よくつかわれる簡単な例としては、菓子店の前で配られているお菓子で、通行人を店内へと誘い込む。私の地元にある青果店は大きなイチゴを試食させてくれ、こちらはほかのものを買いに来たというのに、ついついイチゴも1パック買ってしまう。

ネット上では、PDF、電子書籍、レポート、音声ファイル、ユーチューブビデオを無料プレゼントすることで信用を築き、顧客をつくることができる。

その証拠に、私が無料で配信しているポッドキャストは、結果的に何千万円ものビジネスを私にもたらした。

以上のようなやり方をすべて取り入れると、それぞれに関して価格を4％引き上げるだけで、トータル20％の値上げになる。何をためらうのだろうか？

低価格は「マイナスのスパイラル」を生む

多くの人は値上げをすると顧客、ビジネス、お金を失うと心配し、真実に目が向かない。本来、価格というのは、自分が求めるタイプの顧客とビジネスを引き寄せる看板である。

「給与を出し渋れば、よい人材は集まらない」というが、モノの価格も同じこと。価格はそれに見合った顧客を引きつけ、ほかを退けるものだ。価格が低ければ、高いお金を払う顧客を退けてしまうのだから、低い価格で、高いお金を払う顧客を期待するのは間違っている。

逆に、価格が高ければ、それを払うことができない人や、価格を妥当だと見なさない人は退けられるから、冷やかし客やお金をあまり払う気のない客はこれで退散する。あなたが提供するものに見合ったお金を払える人だけが集まってくるのだ。

自分がどのレベルを「高いお金」と認識するかによって、自分の経済的な限界が決まってしまう。はっきり申し上げて、10万円や1000万円は大金ではない。何百兆円ものお金が世界中を高速でめぐっていることを思い出してほしい。

今の思考を豊かさに満たされた考え方に切り替え、自分自身が考えている天井を取り払おう。

「そんな大金、自分には無理だ」と口に出すたびに、訂正してほしい。未来のあなた（またはビリオネア）にとっては取るに足らない金額なのだから。

市場を破壊するサービス

電話機は電話をするためのものだった時代を覚えているだろうか？

その後、Eメールが現れて、イノベーションを前進させた。

次にiPhoneが誕生して市場を破壊（ディスラプト）し、電話機の認識を変えて、さらなる価値をもたらした。

音楽、アプリ、想像できる機能が次々に盛り込まれて、価格はどこまでも上昇した。「アップル」は完全に市場の流れを変えた。常識をくつがえし、価格の天井を取り払ったのだ。

掃除機がゴミを吸い込むだけの安い家電だったころのことも覚えているだろうか？

そこに「ダイソン」が登場した。

銀行の役員をしている友人宅を訪問したときのことを、私ははっきりと覚えている。彼の新居に招かれたとき、彼は真っ先に私をクローゼットへ案内し、買ったばかりのサイクロン式掃除機を、まるでわが子のように誇らしげに見せびらかした。


当然だが、多少の小細工で価格を上げるのは不可能である。「アップル」と「ダイソン」が成功したのは、商品価値を高め、それが顧客に認識されたからにほかならない。

暮らしがより楽に、より速く、よりよくなり、時間が節約されたからだ。

また、人間工学とエレガンスが、製品のイメージをがらりと変えたからだ。

「アップル」が今後も優勢を保てるかは、これまでと同じペースで革新をもたらし続けられるか、そして既存の「アップル」ファンがどれだけ未来の売上げに貢献するかにかかっているだろう。

最後に

「幸せなお金持ち」への確実な道

財産をみるみる増やす「365日の習慣」

私は貧乏だったときにはお金がないのを常に心配し、今よりずっとお金のことばかり考えていた。借金にまつわる不安、お金がないという焦りを覚えるほど、それが現実になっていった。

20代半ばまで、親から仕事をもらい彼らと同居し、お金のことを心配しない日は1日となかった。8年間、借金のことばかり考えて、有効につかえた多くの時間を棒に振った。

今日からお金の心配をするのではなく、自己資本の計算、目標設定、規模拡大のことを考えてほしいのだ。

結局、今持っている自己資本は、シンプルに言うと、次のように計算できてしまう。

「資産ー総支出」

今いる場所から始めよう。この計算が低くても、マイナスでもかまわない。自己資本を上昇させるために、半年ごとに明確な目標を設定する。

私は毎年11月に翌年の目標を決め、少なくとも週に一度は目を通し、半年に一度再検討している。

この最後の項目では、経済的な不安を取り除き、目標達成に向けて動き出すための心理テクニックをいくつか紹介しておきたい。

アファメーション――自己肯定感を高める言葉

この11年間、自分がどういう人間になりたいのか、その自分に関するポジティブな言葉を、ずっと自分に言い聞かせている。アファメーションとは、端的に言うと「自己肯定の宣言」のことだ。

白状すると、はじめは効果を疑っていた。バカバカしいと、そういうことを習慣にしている人を見下してもいた。しかし、そこで試しにやってみた自分に今は感謝している。

アファメーションとは、そもそも「それが現実になることを信じ、自分に対して肯定的な宣言をする」という意味だ。自分の価値観、一番達成したいこと、なりたい自分をイメージし、短い文章にまとめる。

豊かさ、成功、強さ、幸福、感謝、人の役に立つこと――などはつかいやすい言葉だ。宣言文ができあがったら、手帳に書き留めよう。リストをパソコンのトップ画面にも、枕元にも張っておくといい。

毎晩寝る前に頭の中でこれらの言葉を何度かくり返し、それが実現しているところを想像しよう。体で感じているようにするとなおいい。

これを数日から数週間続けよう。朝いちばんや気持ちを高めたいとき、または瞑想を習慣にしている人は、同時に取り入れるといいだろう。

もちろん家でじっとしていても、これらの夢が勝手に実現することはない。目標をしっかり立て、現実にするために、この本で学んだことを行動に移してほしい。

目標の設定は、アスリートから起業家まで成功した人々が持つ共通点だ。だが、ほとんどの人はやろうとしない。知っていてもやらなければ、知らないのと同じだ。

ビジョンボードをつくる

目標をさらに（しっかり）肯定するため、毎日自分の目標とビジョンを思い出し、視覚的なリマインダーをつくろう。

壁にかけるボードに、自分がかなえたい夢、目標、成功、人生などを表す写真やイラスト、雑誌や新聞からの切り抜きなどを集め、張りつけていく。目標とする人物、いつか行ってみたい場所、築きたい財産、経験してみたいこと――なんでもいい。これをひとつに凝縮させたものがビジョンボードだ。

写真を撮って、スクリーンセーバー、スマホの待ち受け画面などにしてもいい。頻繁に目にするところに表示することで、知らずしらずのうちに1日中、イメージトレーニングをしているようなものだ。

重量挙げの選手は、バーベルを持ち上げるところを想像（視覚化）するだけで、実際に持ち上げたときと同じように脳が働いたことが報告されている。

目や耳から入っただけのものは忘れやすいが、なんらかの感情を抱かせる情報は忘れにくいことがわかっている。自分がワクワクするもの、モチベーションを刺激するものをなんでも張りつけ、人間関係、キャリア、お金、家庭、旅行、個人的成長、健康などの中から人生でかなえたいことのイメージをつくっていくのだ。

心のプライミング効果

「おまえは床に落ちているコインを見つけるのがうまいな」と、子どものころ、よく父から言われた。

どこに落ちていても、誰よりも先に見つける……いつもそう言われて、私はすっかりその気になり、それが現実になった。

ところが借金を抱えるようになると、つねにお金の心配をして、無意識のうちに否定的なイメージを補強し、またもやそれを現実にしてしまった。

当時は知らなかったが、これが**「プライミング効果」**と呼ばれる心理パターンだ。

プライミング効果とは、先に得た情報から受けた刺激が、別の事柄に影響を与えることを指す。脳の中のＲＡＳ（網様体《もうようたい》賦《ふ》活系《かっけい》）と呼ばれる部位がつかさどっている機能で、意識的な思考と無意識的な思考をつなぐ役割を果たす。

私たちの脳は毎秒800万ビットの情報を受け取ってはいるが、その大多数はその必要がなかったり、また、意識的に処理することができない。

しかし、プライミング効果、ビジュアライゼーション、そしてアファメーションといったテクニックにより、RASを文字どおり自分が考えた方向へプログラムすることができるのだ。

くり返しイメージすることにより、強く自分に刷り込むことができる。与えられれば、RASはどのようなメッセージでも信じるが、自分が考えたセルフイメージと一致する、一貫したイメージはより強力だ。

自己不信や言い訳、あきらめなどの批判的な思考プロセスを回避して、脳内の「無意識」というスーパーコンピューターの力をつかうのだ。

オーディオブックやポッドキャストを聴くこともいい。

1・5倍速か2倍速にするととりわけ効果が高い。自分のアファメーションを録音して定期的に聴くと、RASは無意識に焦点を絞る。これに、一貫した行動→反復→改善を組み合わせれば、富と成功は意のままだ。

「好きなこと」で億万長者になる方法

若いころの私はアーティストとしてキャリアを築こうとして挫折した。当時は「お金とアートは両立しない」と思い込み、あきらめてしまった。情熱と仕事をひとつにして、自分の創造性をお金に変えられるとわかったのは、あとになってからのことだ。

時間を巻き戻してやり直せるなら、「好きなことで成功する」ために、こんなアプローチを取るだろう。

1 今、この人生で豊かになる

クリエイティブなことで利益を得て、豊かな暮らしを送ることを自分に許可する。公正な取引をし、仕事を通して自分の価値を大切にする。真の芸術はお金とは無縁だし、お金になるのはアーティストが死んだあとだという先入観は捨てる。富を築き、自分と他者に奉仕して、記憶に残る偉大なアーティストとして、名を残すことが自分の義務だ。

2 自尊心を高く持つ

あなたは富と豊かさを得るに値する。これまでの全努力があるからだ。人々がお金を払うだけの価値がある。真の価値は、作品とサービスの価格に反映される。その仕事は自分自身が持つ価値と才能を表現するすばらしい手段だ。

3　マーケティングでお金を生み出す

行動しないとなにも起こらない。うぬぼれではなく自信を持ち、他者を気づかいながら自分の作品をとことん売り込まなければならない。

自己価値、独創性、自分が表現しているもの、立ち向かっていることは、黙っていないで人に伝える必要がある。ネットワークを活用して作品を世の中に見てもらい、自分のブランドをつくる。変化するテクノロジーも受け入れること。家に閉じこもって、作品をつくっていればいいということは断じてない。

4　人の役に立ち、問題解決し、気づかう

恐怖に打ち勝つためには、自分を気づかう必要がある。

作品に高い価値があると思ってもらうには、他者を気づかう必要がある。

顧客の望みを叶えるのが仕事だ。彼らの求めに注意深く耳を傾け、ひとりひとりのニーズに合わせて細やかに心を配る。顧客の期待を上回るようにし、ほかの客を紹介してもらう。

顧客が抱えている問題に耳を傾け、作品を通してそれらを解決する。これは自分から派生する経済であり、社会の経済がどうであろうと影響を受けない。

5　公正な取引をする

代価より少しだけ大きな価値を顧客に与えること。できるだけニッチな市場と、顧客のタイプを具体的に選ぶ。理想としては、価格の天井がないニッチだ。成長し続け、自分の価値と価格を上げていく。正しいことをやり、顧客が抱える問題を解決し、お金はいくらでも入ってくるのだと信じる。マーケティング、自分の成長、そして慈善活動に、適正な利益を再投資することを忘れない。

6　レバレッジをかけて仕事をする

自分の時間は価値あるものだと考え、時間をお金と引き換えにすることは極力減らす。オリジナルだけでなく、複製品の販売も視野に入れる。作品の色塗りはほかの人に任せられないか？　規模を拡大するためにデジタルアートを手がけてはどうだろうか？　後進の育成事業、または学校を立ち上げられないか？

ひとりでやっていくのではなく、システムと規模が必要だ。優秀なエージェントやギャラリーを見つけ、売上げから適切な報酬をもらえないか？

7 ヘイター（アンチ）は無視する

人のことをあげつらう批評家と、なんにでも難クセをつけてくるヘイター（hater＝アンチのこと）はつねに存在する。

真摯《しんし》なフィードバックを与えてくれる人にこそ耳を傾け、謙虚に受け止め、向上し続けるよう努力すること。批評には感謝し、礼儀は欠かさず、しかし、前に進むこと。自分の道を迷いなく進み、他人に引きずり下ろされないこと。

8 複利を積み重ねる

進み続けよう。重要なことから目をそらさず、出だしからやり直しをくり返したり、立ち止まったりしない。辛抱強く、信念を持ち、仕事に専念し、抜け目なくいよう。毎日アファメーションの習慣（333ページ）は続け、現実的な目標と楽観的な目標のバランスを図り、複利が積み上がるのを待つ。

はじめは苦労が多くとも、あとには豊かさが待っている。いずれは自分の才能を他の人々へ伝えていく。後進をサポートしたり、恵まれない人々にもクリエイティブな仕事の道を拓いていこう。
「自分はダメだ」と思い込まないでほしい。なりたい自分も、やりたいことも、すべて自分の中にあり、解放されて自由になるのを待っているのだ。

ありのままの自分でいよう。自分の中の欲求を解き放ち、やりたいことを仕事にしよう。やりたいことを世界と分かち合い、人のために働きながらも、とことん自分を貫こう。もっと知り、もっと稼ぎ、もっと世界に与えるために。

本書の内容には、原書が刊行された時点でのイギリスおよび世界の社会的、文化的事情、
金融システムについての記述が含まれています。日本の状況と異なる部分について、
また読者各自の経済的選択について、著者、出版社はいかなる責任も負いません。

Money
Know More, Make More, Give More.
by Rob Moore

First published in the English language in 2017 by Hodder & Stoughton. An Hachette UK Company.
The paperback edition in 2018 published by John Murray Learning.
Japanese translation rights arranged with NB Limited
for and on behalf of John Murray Press, London, through Tuttle-Mori Agency, Inc., Tokyo

MONEY

30歳で150億稼いだ私の思考法

編集協力 ――― (株)ラパン

2020年7月30日　第1刷発行

著　　者 ――― ロブ・ムーア
訳　　者 ――― 春川由香
発 行 者 ――― 鉄尾周一

発 行 所 ――― 株式会社マガジンハウス
〒104-8003
東京都中央区銀座3-13-10
書籍編集部　☎03-3545-7030
受注センター　☎049-275-1811
印刷・製本所 ――― 株式会社リーブルテック
ブックデザイン ――― 三森健太(JUNGLE)

ISBN978-4-8387-3110-7 C0033

マガジンハウスのホームページ　http://magazineworld.jp/